JN077766

# 英語の新常識

杉田 敏
Sugita Satoshi

インターナショナル新書 093

# はじめに

　1987年、国鉄が民営化されJRになった年に、私は
NHKラジオ講座「やさしいビジネス英語」という番組
を始めました。最初はいろいろな方面から「ちっとも
やさしくない」とよく言われたものです。私としては
「この番組がやさしく聞こえるようになることが、皆さ
んの学習の着地点です」と申し上げてきました。

　英語を学ぶ上で大切なのは、英語を使って何をした
いのか、明確な目標をもつことです。そして、目標を
達成するためには、「犠牲」はつきものだということを
認識しなければなりません。具体的には「お金」と
「時間」です。

　「英語を勉強したいという意欲はあるのですが、時間
がない。どうしたらいいでしょう」と相談されること
もあります。語学の上達のためには、「意欲」だけでな
く何らかの具体的行動を起こす必要があります。それ
に「時間がない」というのは正確ではありません。1
日24時間、時間はすべての人に平等に与えられている
のですから。

　時間がないというのは、「自分には、英語の学習以上
に優先順位の高いものがある」ということを表現して
いるだけなのです。

　英語の上達が、本当に重要であれば、時間は作れる

はずです。

　そのためにはcomfort zone（快適帯）を離れなければなりません。日々行っている行動のパターンから逸脱することです。

「何のために」という目標をもち、それを達成するためには何かを犠牲にする覚悟がなければなりません。たとえば、家族との団欒の時間も、会社の同僚と居酒屋で過ごす時間も、テレビの前でリラックスするのもいずれも「快適」です。しかし人間誰しも、快適な空間にいるかぎり、よくても現状維持で、自己向上はありません。

　目標はできるだけ現実的で、具体的なものがいいでしょう。それをいつまでに達成するのかというタイムリミットも決めておきましょう。

　一度、目標を設定したら、その達成のためには継続してあらゆる努力を払うことが肝要です。長期的な目標をしっかり設定して、そのために日々何をすべきかを、地に足をつけて考え、実行することです。

　若いころは「留学したい」「転職したい」「通訳になりたい」など、具体的な目標のために英語を学ぶ意欲がわきやすい一方、年を重ねるにつれて、「脳を活性化するため」「教養として」といった声が増えてきます。それでもいいですが、それだけではなかなか長続きしないかもしれません。

　自分が一番好きなこと、没頭していることを、英語

の目標に結びつけてみるのもいいかもしれません。た とえば、ミステリーが好きなら、英語で書かれたミス テリーの本が読めるようになることを目標にして勉強 する。将棋や武芸、手芸、映画、生け花──どんな分 野であっても最近は英語の本や映像はあるので、自分 の興味を英語に結びつけるのがいいでしょう。

　目標をもって真剣に英語上達の方法を模索している 人には、まず自分の現在の英語力を正確に、客観的に 把握することが必要です。そのためには各種の英語検 定試験を受けるのがいいと思います。 「読み」「書き」「話し」「聞く」という４つの基本的 なコミュニケーション能力の中で、自分の弱点を知る ことも重要です。

　時間はあるけれど、お金がない、という人にはラジ オやテレビの語学番組を視聴することをお勧めします。 私自身もラジオの番組で英語を勉強してきた経験から、 非常に効果的だと思います。

　ただ漫然と目的もなく、いわゆる「英語のシャワー を浴びる」ように英語を聞いているだけでは、何千時 間たっても上達はしないでしょう。真剣勝負のつもり で、集中して聞かなければ効果はありません。

　英語を学ばなければならない「ニーズ」か、英語に 対する「興味」がなければ、実際問題として勉強を続 けることは苦痛になります。ニーズは人によって違い ますが、そもそも英語に対する興味を自分にもたせな

ければ学習はスタートしません。

　と同時に、語学の勉強は決して楽しいだけではない
ことを理解しなければなりません。勉強のために投入
する時間と、成果との間には直接的な相関関係がある
と思ってください。地道に、時間をかけて勉強する以
外に「王道」はありません。

「やさしいビジネス英語」は最終的に「実践ビジネス
英語」と改題され、最初の放送から34年後の2021年3
月に幕を閉じました。1年半番組を降板していた時期
があるので、番組をやっていたのは32年半ですが、そ
の間に売れた月刊テキストは累計3000万部を超え、
NHKの100年近い放送史において「最長寿の語学番
組」になりました。

　ノーベル賞受賞者の山中伸弥先生からも、
「杉田先生の番組で英語の勉強を始めたのは、アメリ
カ留学を目指していた大学院生の時でした。何度も復
唱し、多くのビニェットを暗唱していました。おかげ
で留学を実現し、iPS細胞につながる研究を始めるこ
とが出来ました。帰国後も英語の勉強を継続し、実践
ビジネス英語はジョギングの友となりました。英語に
加えて、社会や文化の最新動向を学ぶ貴重な機会でし
た」

　とメッセージをいただきました。

　このラジオ講座では、ビニェットと呼ばれるミニド
ラマを通してニューヨークなどの最前線で起こってい

るビジネストレンドや新しい英語表現をいろいろ取り上げてきました。

　すべての言語は変化します。英語においても、タブーとされた単語がそうではなくなったり、造語や新しい言い回しが生まれたりもします。本書では、この三十数年間に起こったいろいろな社会現象が現代英語に与えた影響を中心に、英語の新しいルール、新しい常識を考察してみます。

# 目次

第3章
# 消える言葉、生まれる言葉

# 第1章

## 英語学習の心構え

ある程度英語力はあるけれど、どうしてもさらに一段階上に行けない、と悩んでいる人に共通する最大の問題は語彙不足です。巷にあふれる「神話」に惑わされることなく、自分の英語力の「現在地」を把握し、その上でできれば仲間を見つけ、最新技術をうまく利用して英語学習を続けることが肝要だと思います。

## 語学学習を阻害している巷にあふれる「神話」

　1963年11月22日にジョン・F・ケネディ大統領がテキサス州ダラスで凶弾に倒れてから半世紀以上経った今でも、アメリカ人の半数は、暗殺の裏に何らかの「陰謀」があったと信じているそうです。そして100冊を超える暗殺陰謀関連本が出版されています。

　陰謀説が消えない限り、今後もこのテーマの出版は続くかもしれませんが、次にヒットするであろう本の題は、「驚愕の事実　ケネディは自殺だった！」と言われています。

　もちろん、そんなことはありえないのですが、出版界はいつも古いテーマの新しい切り口、通説を覆すようなアプローチを求めています。

「医者に頼らなくてもがんはなくなる」「ほとんどの医者は自分に抗がん剤を使わない」「塩と水だけであらゆる病気が治る」といった、いわゆる「健康本」が今も出版され、書店に並んでいます。これら「民間療法」のような本については、専門家から「医学的根拠が疑わしい」との声も多く聞かれますが、自分で病気に対処しようとして、手遅れとなる人ももしかしたらいるのではないでしょうか。

　実は、似たようなことが英語学習の世界でも起こっています。「英語は半日でマスターできる」「一生懸命話せば必ず通じる」「カタコト英語でも通じればいい」

「英語は勉強してはダメ」式の本が多数出版されています。

　日本における2020年度の語学ビジネスの市場規模は、7817億円と予測されています（矢野経済研究所調べ）。これは語学学校や学習材料、語学周辺ビジネスなどを含め、日本人が語学学習に投資する年間の総額で、大部分は英語ビジネスと考えられます。

　ところが、英語を母語としない人たちを対象とする英語能力測定試験のTOEFLのスコアにおいて、日本人の平均点は世界でほぼ最下位のグループに属しているのです。

　多大な投資をしながら費用対効果の悪い原因は、文部科学省の責任や教師の質ではありません。最大の元凶は学習者自身の「甘えの構造」です。

　語学をマスターしたいのであれば、幻想から抜け出して目を覚まさなければなりません。

　英語をある程度モノにするためには、最低2000時間の学習が必要だと言われています。かなりの自助努力が必要なのです。英会話学校に週1、2回通ったくらいで英語が上達しないのは当たり前です。学校の音楽の時間にピアノを習っただけでピアニストになった人はいません。プロのスポーツ選手も、放課後のかなりの時間に黙々と練習を重ねてきたはずです。

　巷には、「楽しみながら」「知らず知らずのうちに」「涙なしに」など、簡単に英語をマスターできるような

暗示を与える題名の本や教材、語学学校などの宣伝文句が氾濫しています。

しかしこうした「神話」に惑わされてはいけません。ただ「シャワーのように」「BGMのように」英語を「聞き流すだけ」では、どんなに長時間聞いていても効果は上がるはずがないのです。

## 仲間を見つける

語学の勉強は決して楽ではありません。学習機会や道具を手にいれるにはお金が必要です。勉強のための時間と空間はどこかで作り出さなくてはなりません。

アスリートは「サンマ」という戦略をよく使います。「時間」「空間」「仲間」の3つの「間」を利用して努力することです。具体的には、しっかりタイムマネジメントをして学習する時間を確保し、学習がはかどる空間を見つけ、くじけそうになった時に励まし合える仲間をもつ、ということです。

私の学生時代には、生の英語に接するための機会としては英語の説教が聞ける教会くらいで、仲間と英語を学び合う機会はそれほど多くありませんでした。しかし今ではラジオやテレビの語学講座のリスナーで作っているグループもいくつか存在します。独学ではなかなか続かなくとも、メンバー同士で学びあい、モチベーションを高めるのも現代の効果的学習法だと思い

ます。

「東京英語勉強会」（https://www.facebook.com/tokyoenglishstudy/）や「大阪・ビジネス英語勉強会」（http://osaka-english.cocolog-nifty.com/）はNHKラジオの英語番組を教材として勉強会を行っています。また同じような方法で勉強しているグループが全国各地にいくつもあります。

　そうした学習グループの中でも「日本最大級の英語コミュニティ」を標榜するVital Japan（http://vitaljapan.com/）は、非常にレベルの高いイベントを定期的に開いています。

　2021年に設立された一般社団法人「英語落語協会」（https://www.englishrakugo.com/）は「日英バイリンガル落語会」を定期的に開催し、英語落語を内外で広めるためのいろいろな活動をしています。メンバーになると、英語と落語が好きな同好の士とともに、日本文化紹介の1つのツールとして英語で落語をするスキルを磨くことができます。

　またTOKYO GREETERS（www.tokyogreeters.org）は日本を訪れる旅行者に無料で観光案内サービスを行う非営利団体です。メンバーになるためには、20歳以上でTOEICのスコアが600点以上などの英語能力を備えている、といったいくつかの条件があります。母体となっているのはニューヨークで1992年に設立されたInternational Greeter Associationで、現在世界33か

国ほどで活動しています。

　Toastmasters（https://district76.org/ja/）は1924年にアメリカで設立された非営利教育団体で、ここでは「話し方」「パブリックスピーキング」「リーダーシップ」を学ぶことができます。18歳から入会でき、会員数は世界141か国に35万人以上。日本支部の会員は約4500人で、地域、大学、企業内に220以上のクラブがあります。

## 最新技術をうまく利用する

　かつては海外赴任が決まれば、語学学校に通うのが通例でしたが、今では「ロゼッタストーン」のような外国語トレーニングソフトを渡されるケースも多くなっています。空いている時間をうまく利用して各自で学習せよということです。

　スマートフォンからドライブレコーダー、自動運転車、デジタルアシスタントに至るまで、どの最先端技術をとっても、十数年ほど前には夢物語に思えたものばかりです。

　でも、The future comes one day at a time.「未来は日一日とやって来る」と言われるように、未来は確実に身近に迫ってきています。たとえば、スマートフォンなどに搭載されているSiriなどのバーチャルアシスタント機能を使ってディクテーションをしてみると、

正しい発音であれば英語のつづりが画面に示されますが、聞き取れない場合にはクエスチョンマークが出てくるので、自分で発音の矯正訓練ができます。

　PDFになっている文書は、コンピュータの音声読み上げ機能の中から、読むスピード、男性の声、女性の声、アメリカ英語、イギリス英語、オーストラリア英語などを選ぶことができます。また「ウォール・ストリート・ジャーナル（*The Wall Street Journal*)」などでは、記事に読み上げ機能が付いているので、聞き取り練習に便利です。

　しかしこうした機能も、coronavirusのような新語や日本人の名前などはうまく発音できなかったり、アメリカ英語で「履歴書」を意味するresume（résuméとも表記する）と「再開する」という意味の動詞のresumeのようなheteronym（同形異音異義語）を間違って発音したり、Md.（Maryland）のような略語やhmm（ふーむ）やugh（うわっ）のような感嘆詞を認識できずにアルファベットどおり発音したりと、まだ完璧ではないことに、多少の安心感を覚えたり楽しくなることもあります。

　ただ、AIがそのような弱点を克服できる日は、そう遠くはないでしょう。

# 語彙を増やそう

「2009年6月10日に、英単語の数が100万を突破」と発表したのは、テキサスに拠点を構え、世界の言語のトレンド調査・分析などを行っているある民間組織でした。同組織の発表によれば、英語の語彙に新語が取り入れられるのは98分に1語、1日に14.7語になるそうです。

英語はさまざまな言語からの借用語を含め、世界の言語の中でも最も大きな語彙を形成しています。そうした借用語の中にはかなりの数の日本語も含まれています。

emoji（絵文字）やninja（忍者）、tsunami（津波）、anime（アニメ）などはかなり深く英語の語彙に浸透していて、英米人でこれらの語を知らないのは珍しいくらいです。edamame（枝豆）やdaikon（大根）などもアメリカのスーパーマーケットでは普通に表記されています。

honcho（班長）は第2次世界大戦後すぐに、またkaraoke（カラオケ）は1977年ごろに英語の語彙に取り入れられ、今ではかなり広く使われていて、もともとは日本語であることを知らない人もかなりいます。

さらに、ryotei（料亭）やryugi（流儀）、hentai（変

態）といった日本語も、2011年に『オックスフォード英語辞典』（*The Oxford English Dictionary* OED）の online edition に入って話題になりました。hentai が入ったのは、anime や manga の影響でしょうか。またそれらに関連して otaku（オタク）や cosplay（コスプレ）という日本語は、若者の間でよく知られています。

　また、単語ではありませんが、よく T シャツなどに書かれている I ♥ NY の「♥」（ハートマーク）は heart と発音し、動詞の love の同義語として同辞書には載っています。

　diet は大きな辞書には名詞、動詞、形容詞として 10 近い語義が載っていますが、「国会」を Diet と呼ぶのは世界でも日本ぐらいです。日本発の外国通信社の記事などでは Diet（parliament）とカッコ付きで書くこともあります。

　また、post という語には「柱」や「地位」という意味の名詞と、アメリカ英語では「掲示する」、イギリス英語では「郵送する」という意味があるのですが、最近ではソーシャルメディアなどへの「投稿」や動詞の「投稿する」という意味でも用いられます。

　また、fell という語は fall（落ちる）の過去形ですが、「切り倒す」という意味の動詞の現在形でもあります。dog は「犬」のことですが、動詞としては「人に付きまとう」「（犬のように）後を付ける」という意味でも使います。これらは 1 つの単語としてカウントすべき

なのか、あるいは2つの別の単語なのか。

　ですからどこまでを「英単語」と数えるのかは不明確です。

　アメリカ英語、イギリス英語ともに辞書の世界では双璧とされる Webster's Third（正式名称は *Webster's Third New International Dictionary of the English Language Unabridged*）およびOEDには、初版以後の補遺を含め、それぞれ約47万語を網羅していると言われます。このあたりが通常使われている語彙の基本となるのでしょう。しかし、毎年、新語が登場すれば廃語も生まれます。

　したがって、常に英語のニュースメディアを読み、頻出するトレンディな語句を知る必要があります。

---

### 語彙を増やすのは必須

　日本の中学校で教わる英単語の数は1600〜1800語、高校では1800〜2500語で、合わせて4000〜5000語という設定になっています。

　主要な英単語を3000語くらい知っていれば国内外で発行されている英字新聞のほぼ95パーセントが理解できるという説や、ネイティブスピーカーが通常使う英単語は1500から2000語で、日常会話の半分は35語から成っているなどといった説もあります。

　「中学校で習った単語だけで英語は話せる」「カタコ

ト英語で十分」といったキャッチコピーを見ると、語彙力をつける必要はないような気になるかもしれませんが、語彙を増やすことは、英語の実力アップに絶対欠かせないと思ってください。語彙が貧弱だと知的な会話はできませんし、英語を通じての知識の吸収も効率的に行えません。英語が思うように使えないのは、語彙が不足しているからだと自覚することこそが、上達への第一歩になります。

850語だけを使ったBasic Englishや、1500語を使用するGlobishもそれだけではとても十分な語彙とは言えません。単純な英文法と、使用頻度の高い単語のみでもコミュニケーションを図ることは可能でしょうが、「カタコト英語」に毛の生えたようなものを話していたのでは、教養のある人とは認めてもらえないでしょう。

制限された語彙では、たとえば「収益性」や「民主主義」をどのように説明するのでしょうか。profitabilityやdemocracyという単語を知っていれば1語で表すことができます。語彙が乏しいと、コミュニケーションはかえって難しくなってしまうのです。

日本語を勉強する上でも、漢字は難しいからといって学習を避け、ひらがなとカタカナだけを学んでいたのでは、いつまでたっても実用的な日本語をモノにすることは望めません。教材のレベルは、自分にとって多少歯ごたえのあるやや難しいもの、自分の目線よりも少し上のものがいいのです。

アメリカでは、言語に多少なりとも関心のある親は子供に、niceという語を乱用しないように教えるそうです。この言葉は広い意味をもち、いろいろな名詞を修飾することができます（nice person, nice car, nice dress, etc.）。しかし、多用すると、語彙が少ない、すなわち知的レベルが低いと見られてしまうからです。

　また、最近の若者が「最高の」「見事な」といった意味でよく使うawesomeやcoolについても、同様のことが言われます。若者の間の流行語、俗語を網羅しているオンラインのUrban Dictionaryというサイトには、awesomeに関して「アメリカ人がすべてのことを説明するのに用いるもの」（Something Americans use to describe everything.）という説明が載っています。

　基本英単語を確実に使えるようにするのと同時に、自分の語彙のニーズをはっきり把握し、生活や仕事分野で必要な用語の数を増やすことが大切です。

　仕事で英語を使うのであれば、少なくとも1万語は知っておくべきだと思ってください。

　英単語を記憶するコツとして、言葉は「絵」と一体化して覚えると、定着しやすいと思います。たとえばtopple（倒す）という単語を、私はサダム・フセイン元大統領の像が倒される映像とともに記憶しています。

　ある時、ジムのトレッドミルの上でBBCのニュースを見ていました。オバマ政権の元高官がインタビューされていたのですが、その中で彼がI was jaded.と言っ

たのに対して、人気アンカーのキャティ・ケイ（Katty Kay）が大きな声で笑ったのです。

jadeは名詞だと「翡翠（ひすい）」の意味ですが、動詞としての意味を私は知りませんでした。そこでトレッドミルから降りるとすぐにその単語を近くにあった紙コップにメモし、自宅に帰ってから辞書で調べたらbe jadedで「牛馬のようにこき使われる」という意味だということがわかりました。私はjadeという単語の動詞の意味をこのインタビューとセットで記憶しています。

こうした語はたぶん一生忘れないでしょう。気になる言葉があって自分で辞書を引いた場合、その意味はなかなか忘れないものです。そしてできれば、単語をスマホに打ち込むのではなく、手書きでメモしたほうが脳に刻み込まれ、記憶に残る可能性が高いという研究結果もあります。

## 自分の英語力の「現在地」はどこか

どんなにきちんとした地図があっても、現在どこにいるのかがわからなければ、目的地にたどり着くことはできません。英語の学習においても、この「現在地」を知ること、つまり自分の現在の力量を客観的に把握することは重要です。

日本人は「検定」好きで、かなりの数の受験者がいます。TOEICやTOEFLを含む6種類の国際的な検定

試験と、実用英語技能検定（英検）をはじめ観光、通訳案内、翻訳実務、医療通訳技能などの分野における検定試験、それに新しく加わったCNNのニュースを題材にしたCNN GLENTSなど少なくとも17種類の日本国内向けの検定試験があるようです。

　ただ、英検1級に受かりたい、TOEICで900点以上を達成したい、と試験のスコアアップだけを目指して勉強するのはあまり意味がありません。こうした試験は何度も受ければ点数が上がるのは当然です。私も一度TOEICを受けたことがありますが、最後のところで慌てたので1問だけ間違えました。でも、次回受ければ満点を取る自信はあります。

　本来目指すべきは、英検1級、TOEICで900点以上を達成した時に、その実力を使って何をしたいかです。

　少なくとも1万語は知っておくべきだと言われても、自分がどの程度の語彙をもっているか把握している人は少ないでしょう。語彙力診断テストを受けてみることをおすすめします。

　インターネット上にはいくつかのサイトが載っています。ここでは2つを取り上げてみます。

## Weblio語彙力診断テスト

https://uwl.weblio.jp/vocab-index

　これは英和・和英辞典のWeblioが提供する中上級

者向けの語彙力診断テストです。単語・熟語の日本語訳や、同義の英語を問われる問題が25問出題されます。所要時間は約2分半。

　問題に正解したかどうかだけでなく、回答にかかる時間も評価対象に。回答方法は選択式ですが、4つの正解候補の選択肢以外に「1〜4のどれでもない」が含まれるため、難易度は高くなっています。テストを受けるのは無料ですが、ランキングを見るには無料会員登録をする必要があります。

## Test your vocab

http://testyourvocab.com/

　画面に出てくる単語リストの中から、知っているものにチェックを入れていくだけで、大体の語彙数を推測して表示してくれます。無料。単語の定義を1つでも知っていればチェック、ただし見たことがあるだけで意味が不明確なものはチェックしないでくださいとあります。

　このテストで集めたデータによれば、成人のネイティブスピーカーは2万から3万5000の語彙があるそうです。私の知人で弁護士やライターなどを職業にしているアメリカ人、カナダ人数名にこのテストを受けてもらったところ、3万1100から3万7300でした。

## 「APスタイルブック」から最新の用法を知る

　日本語で「スタイルブック」といえば、普通は服装の流行型を図示したもののことです。英語のstylebookにも同じような意味がありますが、ジャーナリズムの世界では通信社や新聞社が発行しているいわゆる「記者ハンドブック」に近く、ライターや編集者のために用語や文体、句読法、つづり、略字法などを説明したものを指します。

　各新聞社、通信社、出版社、教育機関、企業などは独自のスタイルブックをもち、記事や出版物において統一したスタイルを保つようにしています。

　なかでもAP通信が発行する「APスタイルブック」（*The Associated Press Stylebook*）は英文報道記事におけるバイブル的存在で、同書がスタイルの変更を発表すると、それだけでニュースになることもあります。この本は辞書とは違い、英語の用法の微妙な変化を的確にキャッチして、教えてくれます。

　最初に発行されたのは1953年ですが、毎年6月に改訂版が発行されるので、最近は毎年購入しています。

　2016年から「インターネット」をinternetと小文字で始めるスタイルに変更したことは、英語表記上の画期的な変化とされました。この変更の発表にあたっては、internetが普通名詞化したことが理由として挙げられていましたが、もともとこの語はinternetworkの

略語として使われ始めたもので、登録商標でも固有名詞でもありません。大文字が使われたのは、新語だからというのが一番の理由だったようです。

また、2017年版から、they/them/theirを3人称単数のジェンダー区別のない（gender-neutral）代名詞として使うsingular theyという用法を採用して、話題になりました（87ページを参照）。

英文ライティングのスタイルで一番初歩的なものは数字の書き方で、ジャーナリズムでは0から9まではzero, one, two, three...などとスペルアウトし、10以上は算用数字を使うのが普通ですが、人の年齢や温度などについてはいつでも数字を使います。学術論文などでは1から99までの数字をスペルアウトします。

おもしろいことに、0から99までをスペルアウトしても、アルファベットのa, b, c, dは1度も出てきません。「電子メール」を意味するelectronic mailが英語の語彙に入ったのは1975年のことですが、略語が使われるようになったのは1982年だそうです。当初はE-mailと大文字のEを使うのが普通だったのですが、やがてe-mailやemailと書かれるようになりました。

ハイフンのないemailはSNSやいくつかのメディアでは広く使われていたのですが、当初は「どうもしっくりこない」とか「émailはフランス語では『エナメル』を意味するので、混同される」といった理由で反対する人たちもいました。ところが、2011年に、「APスタイ

ルブック」が、e-mailからハイフンを取ってemailとする、と発表しました。その発表文はLanguage evolves.（言語は変化する）と始まっていましたが、まさにそのとおりです。

　現在では英米のマスメディアでもemailが主流になっています。これが一番最初にできたe-で始まる新語です。

　もともと、「郵便で出す」という意味の動詞としてmailを用いるのは米語用法で、イギリス英語では一般的にpostを使います。e-postにならなかったのは、電子メールがアメリカから発展したからなのでしょう。

　mailもpostも名詞としては不可算名詞で、「1回の便で配達される郵便物」を意味し、封書やはがき、小包、DMなどいろいろな種類を含んでいます。

　不可算名詞であるmailは複数形にはならないのですが、10年ほど前からe-mailsあるいはemailsという形を目にすることが多くなってきました。

　最初はmailsという複数形は避け、どうしても複数の概念を表す時にはe-mail messagesなどとしてきました。しかし今では、普通にemailsと表記しています。

　また「APスタイルブック」では2011年に、いくつかの表記上の変更を発表しました。インドの都市CalcuttaはKolkataとし、cell phone, smart phone, Web siteはそれぞれcellphone, smartphone, websiteと1語につづるといった改訂がありました。

# 第 2 章

# 英語の新常識

かつてのタブー語もそれほどセンシティブではなくなり、同時に新しいタブーもできてきました。現代において特に気をつけなければならないのは、人種に関する言葉です。それにダイバーシティやジェンダーについても、最新の常識を理解していないと、思わぬ落とし穴にはまるかもしれません。

# タブー語の変遷

　オハイオ州立大学に1971年に留学する前に、竹村健一著の『おとなの英語』（光文社カッパ・ブックス、1962年刊）を読みました。この本は当時大ベストセラーで、その中には「レディーの前では使えない言葉 ― スラングとタブー語」「絶対に使用禁止の言葉」といった章があります。巻末には「タブー語」の一覧表があるのですが、その多くは「性」や「排泄物」に関連した4字からなる、いわゆるfour-letter wordです。

　アメリカに行ってまずショックを受けたのは、「レディーの前では絶対に使用禁止の言葉」を堂々と女性が使っていることでした。

　女性の社会進出が進んだ70年代になると、「女性に聞かせてはいけない語」という考え自体が、女性差別とされたのです。

　ある時、キャンパスの中を

　I GIVE

　A SHIT

と書かれた大きめのバッジを胸に付けた女子学生が歩いているのを見て驚いたことがあります。shitとは「大便」「クソ」のことです。それをレディーが胸に飾ってキャンパスの中を歩いている。それだけでも驚き

だったのですが、その文句はどういう意味なのでしょうか。

あとで辞書を引いてみると、give a shit は俗語で「気にする」で、通常はdon't give a shit と否定形で使う、とありました。

彼女の言いたかったのは、「最近のアメリカの学生の多くはノンポリで、政治に無関心な人が多い。そうした状況に対して、『私は気になっている、憂いている』という意味で付けている」ということのようでした。

また、ウォーターゲート事件の真っただ中に、Nixon has no balls と書かれたバッジを胸に街中を歩く女性を目にして仰天したこともあります。「ニクソンにはキンタマがない」ということ。つまり、自己保身を図るばかりで男らしくない。そうしたニクソン大統領に怒りをぶつけていたのです。日本では、今でもこれに相当するプラカードを女性がもってデモをする姿などとても想像できません。

1970年代初めの頃には、bullshit などの「タブー語」を女性がいる席で不用意に発した場合には、Pardon my French. などとごまかしたものです。つまり「今のは英語に聞こえたかもしれないけれど、実はフランス語なのです…」と言ってから、同席した女性に向かって、Pardon me, Jane and Susan and... などと謝ったものです。

ところが女性の社会進出が進んだ70年代中頃になる

と、女性だけに詫びる行為がかえって男女平等の精神に反するとして、「悪い言葉を使ったことを謝るのであれば、私たちだけにではなく、皆に謝ったらどうなの。あなたがどんな言葉を使おうと知ったこっちゃない」という意味で I don't give a fuck what word you use! などと男性が女性に罵倒される場面も見てきました。

don't give a fuck は don't give a shit をさらに下卑た口調にした言い方ですが、よく知られているように fuck は代表的な four-letter word で、最も下品な英語の言葉とされています。印刷したり、しゃべったりすることをはばかる unprintable で unmentionable な語ともされ、神を冒瀆する profanities や swearword のような「ののしりの言葉」とともに、男女ともに避けるべき語とされてきました。

通常、これは放送禁止用語で、アメリカの5大ネットワークTVでは beep という「電子音」が入って聞こえないようになります。しかし現在ではその他のテレビ局ではそのまま放送されることもあるようですし、映画ではよく耳にします。

---

### 辞書に載った放送禁止用語

---

1961年に発刊された Webster's Third にはまだ fuck は載っていませんが、1960年代、70年代に英米で発行されたほとんどの辞書には収録されています。上品、

下品は別にして、実際に使われている語なので、記録するのが妥当であるとする考え方を反映しています。

最も権威あるイギリス英語の辞書の『オックスフォード英語辞典』（OED）も、60年代からこの語を収録していますが、「語法」（Usage）の項目の中で、「社会の多くの分野において、この用法は広く急速に使われるようになってきているが、fuck という語は依然として、そして何世紀にもわたって英語における最もタブーな語の1つである」（Despite the wideness and proliferation of its use in many sections of society, the word fuck remains (and has been for centuries) one of the most taboo words in English.）としています。

その上で、「比較的最近まで、この語は印刷物の中に見られることはほとんどなかった。今日においてさえも、話し言葉や書き言葉において、この語に言及するのにいくつかの婉曲的な方法がある。たとえばF-word, f*** や f—k のように」（Until relatively recently it rarely appeared in print: even today there are a number of euphemistic ways of referring to it in speech and writing, e.g. the F-word, f***, or f—k.）と述べています。

日本語でも、女性器や性行為を表す俗語、隠語として「お○○こ」などとも表記される語が、2008年に発行された『広辞苑第六版』に初めて収録され大きな衝撃を与えました。それ以前の版には、「おちんちん」

「ちんこ」「ちんぽ」はすでに入っていたのですが。

2018年に発行された「広辞苑第七版」では「おまんこ」は見出し語として採録され、「（オは接頭辞）女性器、または性交をいう俗語」と語義も説明しています。

---

## ジェスチャーにもタブーが

言語によらないコミュニケーション（nonverbal communication）においてもタブーは存在します。たとえば、手の甲を相手に向けて中指を突き立てる動作は、give someone the finger、あるいは手の形が「鳥」に似ているところから flip someone the bird などとも言い、Fuck you! を意味するやってはいけないタブーのジェスチャーです。

2019年に韓国で開催されたゴルフトーナメントで、ある選手がティーオフに失敗したあとで、ギャラリーに向かってこのジェスチャーをし、ゴルフクラブを地面にたたきつけました。スウィングの最中にギャラリーの誰かがフラッシュ音とともに写真を撮ったことに、腹を立てたようです。この選手は高スコアで優勝したのですが、この行為はゴルファーとしての品位に欠けるものだったということで、3年間の出場停止処分を受けました。

これは侮蔑や怒りを表すわいせつなジェスチャーで、この選手のように処分を受ける可能性もあります。一

方で、これまではまったく問題のなかったジェスチャーが、2019年あたりから突然問題視されるようになりました。

それは親指と人差し指で「輪」を作るジェスチャーで、世界の多くの国においてOKの意味を表します（日本では「お金」も表しますが、英語圏ではお金は人差し指と中指、それに親指をすり合わせるようにすることで表します）。

---

## OKではないOK印

---

「ニューヨーク・タイムズ」はWhen the O.K. Sign Is No Longer O.K. という見出しの記事（2019年12月15日）で、このことについて報じています。

そもそも、なぜOKが現在のような「大丈夫、問題ない」という意味になったのかについては諸説あるのですが、この記事ではあるジャーナリストが、all correctを意図的に誤記した略語として、1839年にあるボストンの新聞にふざけて書いたのが始まり、という説を紹介しています。

そしてそこからOKという語が広まったというのです。同時に、指の形がOとKのように見えるこの手のジェスチャーも、使われるようになりました。

では、このジェスチャーはどうしてタブーになったのでしょうか。その理由は、OとKが相手からはWと

Pにも見えるとされるからです。

　WとPは「white powerの秘密のシンボル」（clandestine symbol of white power）を意味し、白人優位主義（white supremacy）の象徴として、人種差別や少数民族に対する「憎悪のシンボル」（symbol of hate）として使う過激主義者が現れてきたのです。

　OKのジェスチャーは最近は、見方によって意味の異なる危険なものになってしまいました。

## 微妙な色合い

「色」に関する言葉は非常にセンシティブです。

日本では1990年代の終わりにクレヨンの「肌色」を
ペールオレンジとか橙色などと言い換えるようになり
ました。同様にアメリカでも20世紀半ばにflesh color
（肌の色）という語を使うのをやめました。

化粧品世界最大手の仏ロレアル（L'Oréal）は、肌の
手入れに関わる一部商品についてfair, light, whitening
などの語を使わないと発表しました。他にも、日本の
資生堂や花王をはじめとしてユニリーバ（Unilever）や
ジョンソン・エンド・ジョンソン（Johnson & Johnson）
など欧米のメーカーが化粧品からskin-whiteningとか
normalなどの表現をやめる動きが広がっています。

日本では「色の白いは七難隠す」ということわざが
ありますが、世界で人種差別反対の声が高まる中、白
い肌こそ美しいとの印象を与えないために「美白」と
いった表現を廃止する動きが始まってきました。

黄色は中国人や日本人など「黄色人種」の色とされ
ますが、yellowには「臆病な」「意気地なしの」とい
う意味があります。赤はRed Indian（あるいはRed
Injun, redskin）などとしてnative American（アメリ
カ先住民族）の肌の色ともされ、微妙です。

brownは「茶色」「褐色」のことですが、肌の色が
「浅黒い」南アジア系、中近東系、ヒスパニック系、

アラブ系、プエルトリコ系、フィリピン系などについても、時として侮蔑の意味を込めて呼ぶことがあります。日本人や中国人も、このカテゴリーに含まれることもあるようです。

## 白は善、黒は悪か

　日本では「バレンタインデーなどで贈り物をもらった人がお返しをする日」を「ホワイトデー」と呼び、「ブラック企業」は「労働者を酷使・選別し、使い捨てにする企業」のことです。いずれも日本発祥の言葉で英語としては通用しません。

　しかし英語でも white が good, permitted, safe の意味でよく使われるのに対し、black は bad, dangerous, forbidden の意味合いが強い言葉です。Black Monday は「暗黒の月曜日」で、1929年10月28日と1987年10月19日の月曜日にニューヨークで株が大暴落し、そこから世界的な株式不況が始まった日です。

　たとえば、「迷惑メール排除のために特定のアドレスの電子メールだけを受け取るようにすること」の意味のコンピュータ用語の whitelist に対して、blacklist は「要注意人物［商品、組織］名簿」の意味で使われます。動詞としての blacklist は「ブラックリストに載せる」ということです。

　こうした言葉も差別意識を助長するとして、言い換

えを求める声が上がるようになりました。

　そこで名詞のblacklistはnegative listなどに、動詞はbanやforbidという代替表現を使うようにもなっています。

　同様に、blackboard（黒板）はchalkboardと言い換えたり、black marketはunderground marketやillegal marketと呼びます。blackout（停電）はpower outageとなり、black sheep（家族や組織の中の厄介者）はoutcast（のけ者）などに言い換えられるようになっています。

　もちろん例外的なblackの使われ方もあって、in the blackは「黒字で」「もうかって」「利益があって」といういい意味です。また、感謝祭（Thanksgiving Day）の翌日の金曜日には買い物客が殺到し、店が大幅な営業黒字になるところから、その日はBlack Fridayと呼ばれます。

　これらの表現は黒人や奴隷制度とはまったく関係がないのですが、NBCの人気キャスターのメーガン・ケリー（Megyn Kelly）が2018年に番組中blackfaceについて肯定的に発言し、多方面から集中砲火を浴びたことがあります。

　blackfaceとは、白人が黒塗りメークをして黒人に扮して行う、黒人生活を茶化した「ミンストレルショー」（minstrel show）と呼ばれるバラエティショーに出てくる「黒人の真似をする白人の芸人」のことです。

そうしたショーは現在では侮辱的とされ、blackfaceという言葉自体もタブーとなっています。

彼女は2018年のNBCの朝の番組 Today Show の中で、「私が子供のころは、白人がblackfaceの扮装をしても、ハロウィーンのキャラクターとわかるのであれば問題はなかった」と述べました。

その発言が「人種差別的で無知」と批判され、後日、番組の中で涙ながらに謝罪をしたものの、彼女はNBCを解雇され、年俸7000万ドルと言われたキャスターの仕事を失うことになりました。

---

### 一発退場のタブー語に代わる N-word

1970年に出版され大ベストセラーとなった、放送ジャーナリストのバーバラ・ウォルターズ（Barbara Walters）著の *How to Talk with Practically Anybody about Practically Anything* を読み返してみると、この半世紀における英語表現の微妙な変化がよくわかります。

冒頭近くからしばしばNegroという単語が出てきます。これは奴隷制度時代から、黒人奴隷を指す言葉として使われ、奴隷解放後も人種隔離制度のもとで60年代ぐらいまでは普通に使われました。Negro、あるいはNiggerは書いたり口に出したりすることをはばかり、婉曲的にN-wordなどと表されますが、固有名詞や歴史

的文脈あるいは相手の言った言葉を直接引用する場合以外では用いられないようになっています。もし放送中に口に出した場合には、一発退場で二度とテレビ局に呼ばれることはないでしょう。

固有名詞として使われるのは、1944年に設立されたUnited Negro College Fundという黒人の高校生や大学生を金銭的に支援する慈善団体の名前です。この団体の広告キャンペーンのスローガン、A mind is a terrible thing to waste.（頭脳を無駄にするのはもったいない）はよく知られています。

また、1909年に設立された全米黒人地位向上協会（National Association for the Advancement of Colored People）は、人種的偏見と差別の撤廃、非白人の社会的・経済的地位向上のための活動を行う団体ですが、現在ではcoloredも同様に侮蔑語とされ、この団体名以外に使うことはほぼありません。

coloredは「有色人種」という意味合いですが、実質的には黒人を指す言葉としてやはり20世紀半ばまで普通に広く使用されていました。

Negroのもつ差別的なニュアンスを払拭しようとする動きの中でblackという語が登場しました。

blackはもともと差別的な言葉でしたが、公民権運動を通じて黒人が自分たちに誇りをもつための自称として、肯定的な意味をもつ言葉として再定義されました。1960年代から使われるようになったBlack Power

やBlack is Beautifulなどがそうです。

## すべての「黒人」が「アフリカ系アメリカ人」ではない

　日本語の「黒人」という言葉には、どこか差別的なニュアンスがあるとして、「アフリカ系アメリカ人」と言い換える動きもありますが、この2つはまったく同じではありません。

　African American（ハイフンのあるAfrican-Americanも）という表記は、80年代ごろからアメリカで広まりました。「自分たちのルーツはアフリカ」ということを明確にする立場ですが、必ずしも「アフリカ系」と自認していない人もいます。近代になってカリブ海諸国やヨーロッパから移民してきた人たちです。

　その一方、自分たちは「奴隷の子孫」であるということを明確にし、そのことに対する補償を求めたり、大学入試や連邦政府に職を得る場合の優遇措置を要望するAmerican Descendants of Slavery（ADOS）という運動もあります。

　黒人奴隷がイギリスの植民地であったアメリカに初めて連れてこられてから400年経ち、奴隷制の責任を問う声も広がっています。アメリカ政府による過去の清算としては、第2次大戦中の日系人の強制収容をめぐってレーガン政権が1988年に公式に謝罪し、生存者に補償金を払った例があります。しかし生存者がいな

い奴隷制では、補償額の算定や対象範囲などで論議を呼びそうです。

「補償はかえって人種分断を深め、差別の解決が遠のく」と考える黒人の識者もいて微妙な問題になっています。

黒人であるというだけで、何も交通違反をしていないのに、運転者が白人の警察官に不当な取り扱いを受けることをdriving while Blackと言います。もともとのフレーズはdriving while intoxicated（酔っ払い運転）ですが、普通に生活をしていても黒人というだけで警察官に目を付けられることを意味します。

## 6月19日は「第2の独立記念日」

Juneteenthは、Juneとnineteenthを組み合わせた語で、6月19日を意味します。この日は、Second Independence Day（第2の独立記念日）とかLiberation Day（解放の日）、Freedom Day（自由の日）などとも呼ばれ、アメリカの奴隷解放記念日です（正式名称はJuneteenth National Independence Day）。これは、黒人の歴史を振り返り、最後の奴隷が自由を得るまでの長い戦いを讃えて祝う日なのです。

2021年6月にこの日を11番目のfederal holiday（連邦の祝日）とする法律が成立しました。ただし共和党の一部にはこの日の法制化に反対する勢力もあったの

です。7月4日のアメリカ独立記念日（Fourth of July）との混同と、アメリカにはもうすでに休日が多すぎるというのが理由でした（ちなみに日本の国民の祝日日数は、16日です）。

　リンカーン大統領がEmancipation Proclamation（奴隷解放宣言）を行ったのは1862年9月でしたが、アメリカ全土にはその知らせが届いていないところもありました。Juneteethは1865年6月19日に、テキサス州ガルベストン（Galveston）において、それまでにテキサス州で奴隷身分とされてきたすべての人は自由であるとする連邦政府からの命令書を読み上げたことを記念するものです。当時、テキサス州にはまだ約25万人の黒人奴隷がいたと言われます。

## 制度的人種差別と批判的人種理論

　2020年5月、逮捕される際に、ミネアポリスの白人警察官によって首を8分46秒間膝で押さえつけられた後に死亡したジョージ・フロイド（George Floyd）さんの死亡事件を機に、人種を巡る激しい政治論争に火が付きました。そこからBlack Lives Matter（黒人の命は大切だ。略称BLM）運動もアメリカ全土で再び大きな盛り上がりを見せたのです。

　そうした議論の中でsystemic racism（制度的人種差別）という言葉がよく使われました。これは、人種差

別は単なる個人の心の問題だけでなく、アメリカ社会を形作ってきた法律や制度に根付いている白人優位主義の遺産が構造的に残っていることが原因だという主張です。

そうした実態をきちんと捉え、正すというのがcritical race theory（批判的人種理論）です。これは1970年代初めに、法学者が唱え始めた学問的概念ですが、そうした理論に反対する人たちは、「教師が奴隷制度などの歴史を過度に強調している」とも主張しています。

なかでも批判的人種理論を州や地方および連邦の学校で教えるべきかどうかが、大きな焦点となっています。

---

## 「黒人」をどう呼ぶべきか

---

「黒人」をどう呼ぶべきか、という議論も活発になっています。

1つには黒人を意味するblackという語を、最初を大文字にしてBlackと表記するという流れです。「APスタイルブック」は2020年6月に発表された補遺で、「人種や民族、文化」について言う場合に大文字のBlackを使うと明記したので、現在、全米のほとんどのメディアがその形を採用しています（このスタイル変更は2020-2022版には反映されていません）。

もちろん、こうした動きに対しても「大文字にすべ

きではない」とする黒人もいて、コンセンサスが取れているというわけではありません。

　一方、黒人を大文字にするなら、白人も White と大文字表記にすべきだ、という声もあるにはあります。しかしこちらは、白人至上主義者（White Supremacist）のグループが white を大文字にするよう求めているため、そうした主張に同調すべきではないという指摘もあるのです。

　1960年代には、Black is Beautiful というスローガンの下に黒人解放運動が始まり、black がアメリカの黒人を表す名詞、形容詞として広く使われるようになりました。

　現在でも、Black と African American が黒人を表す際に一般的によく使われる語です。つい最近まで、最も丁寧な表現は of color とされ、a person of color, people of color あるいは略して POC のように使われたこともありますが、現在ではこの語に拒否反応を示す人たちも多くなってきているようです。

　というのも、of color は、かつて19世紀中ごろから終わりごろにかけて黒人を意味する語として一般的に使われ現在では蔑称とされている colored に似ているという指摘があるからです。それと of color は「有色（人種）」の意味もあり、黒人以外を含むこともあります。

　それに代わって最近よく目にするようになってきたのが BIPOC という頭字語です。こちらは Black,

Indigenous and people of color の頭文字を取ったもの
で、「バイポック」と発音します。

　indigenous は「土着の」「先住民の」という意味で
すが、Black にならって Indigenous や Native と大文字
を使用する例も増えています。これは有色人種の中で
も、警察官による暴力や、教育や雇用機会における不
平等といった差別を経験してきたのは、特に黒人と先
住民族であり、他の非白人とは同等に扱うべきではな
いという考え方です。

　なお、イギリスでは BAME という語が、白人以外の
民族グループを表す包括的な言葉としてかなり前から
使われてきました。こちらは Black, Asian, Minority
Ethnic の頭字語です。

　この語には、かつての Commonwealth of Nations
（イギリス連邦）出身のアフリカ系やカリブ系の黒人や
インド系、パキスタン系、バングラデシュ系などさま
ざまな人種が含まれています。

### 先住民たちの総称

　アメリカ先住民、いわゆる「アメリカン・インディ
アン」と呼ばれる人たちの総称が native Americans で
す。ただ、native という語のもつ泥くさい響きや、
American という語がイタリア人の Amerigo Vespucci
に由来する「ヨーロッパ系」の名前だからという理由

で嫌う人もいて、総称としてはindigenous peoplesやnative peoplesも使われます。peoplesと複数形にするのは、それぞれの部族（nation）が異なった民族であるという考え方に基づくものです。

　しかしここでも複雑なのは、American Indianという呼び名を好む人たちもいることです。American Indian Movementという名称の人権擁護団体もあります。1968年に設立された草の根運動の団体です。

　この人たちを呼ぶ場合には、「総称」ではなく具体的な部族の名前（Cherokee, Iroquois, Navajo, Apache, Sioux, Cheyenneなど）を使うのがよいとされています。

　また、カナダの先住民についてはFirst Nationsという呼称が1970年代から一般的に使用されています。これは、カナダに住んでいるイヌイット（Inuit）やメティ（Métis）以外の民族のことです。

　黒人が奴隷の歴史について語る一方、先住民たちはコロンブスがアメリカ大陸を発見して以来、白人によって殺されてきたgenocide（大量虐殺）の歴史を背景に、他のPOCとは異なったアイデンティティを追求しています。

　アメリカにおいて10月の第2月曜日は、1968年以降クリストファー・コロンブス（Christopher Columbus）がアメリカ大陸を発見、上陸したことを記念する連邦の祝日のColumbus Dayとされてきたのですが、ジョ

ー・バイデン（Joe Biden）大統領は2021年10月にこの日を Indigenous People's Day（先住民の日）とする布告を出しました。

　同じ日が2つの祝日名をもつという珍しいことになったのです。しかし多くの自治体はこの日の名称をColumbus Day から Indigenous People's Day に正式に変更しました。

　コロンブスはイタリア人には英雄で、この日はイタリア系アメリカ人と冒険心（spirit of exploration）を讃える日でもあったのですが、2020年以降、コロンブスの銅像が壊されたりペンキを塗られたりする事件が各地で多発しました。

　また、コロンブス以外にも、アメリカの南北戦争（Civil War）時代の南軍の将軍の Robert E. Lee やリンカーン大統領などの銅像も壊されたり撤去されたりしました。

　リンカーン大統領といえば奴隷解放宣言をしたことでも知られていますが、実はかつて奴隷を使っていたこともあるそうです。特にやり玉に挙げられたのは、黒人奴隷をまるで犬のように足元にはべらせている像でした。

　このように奴隷制や人種差別に関わりのあった歴史的人物の銅像を破壊したり、著名人の過去の発言や行動、SNSでの投稿を掘り出し、前後の文脈や時代背景を無視して問題視し、「お前はもう終わりだ」（You're

canceled.）と人のことを一方的に切り捨てる風潮を
cancel culture と呼びます。

---

## Latino, Latina, Latinx, Latin@

　アメリカ国内に住む「スペイン語を話すラテンアメ
リカ系住民」は Hispanic と呼ばれてきました。厳密に
はポルトガル語を話すブラジル系住民は含まないので
すが、2020年に行われたアメリカの国勢調査でも両者
を含めた包括的な語として Hispanic が使われています。

　しかし最近では、「（スペイン語やポルトガル語を話
す）ラテンアメリカ系住民」の意味の Latino（男性名
詞）と Latina（女性名詞）が使われるようになってき
ました。

　ジェンダーを特定しない呼び名の Latinx も政治家や
学者が率先して使い、一般の辞書などにも収録されて
います。これは、Mr. や Ms. などに対する、ジェンダ
ーを特定しない Mx. からの類推の造語です（83ページ
を参照）。さらに Latin@ と表記されることもあります。

　多くのインド・ヨーロッパ語族の言語では、名詞だ
けでなく、名詞につく冠詞や形容詞、代名詞などもジ
ェンダーをもっているのですが、言語におけるジェン
ダー区別のない gender-neutral の動きが世界中に広が
り始めています。

　たとえば、スウェーデンでは1960年代から han（英

語のhe に相当）やhon（同様にshe）を包括したhenという代名詞が使われるようになっているそうです。こうしたことは、スウェーデン人は幼稚園から教わると言われます。

　アルゼンチンでは、新型コロナウイルスの拡大を防ぐためのロックダウンを宣言したアルベルト・フェルナンデス（Alberto Fernández）大統領が、国民への呼びかけに、伝統的に使われるArgentinos, Argentinasではなく「中性」のArgentinesを使って注目されました。

　一方フランスでは、フェミニズム運動を推進する人たちが、言語におけるジェンダー区別は性差別を推進するので、ジェンダーを特定しないやり方は社会における女性の地位向上に役立つと声を大にして発していますが、伝統を重んじるフランス語については反対勢力も多いようです。

　そうした中で、権威あるフランス語辞典『プチ・ロベール』（Petit Robert）が、性差のない人称代名詞ielを2021年10月に正式にオンライン版に追加し、物議を醸しています。

　ielは、人称代名詞の男性形il（he）と女性形elle（she）を合体した造語です。日常での使用頻度が最近は増え続けているそうですが、伝統を重視する反対派の政治家たちはフランス語に対する侮辱であり禁止すべきだと主張し、フランス語の保護活動で知られる仏

国立学術団体アカデミー・フランセーズ（Académie française）の介入を求めています。

---

## 「東洋人」の蔑称

---

「東洋人」を意味するOrientalという語は、特に中国人や日本人を指す語だったのですが、ベトナム戦争当時にアジア人を見下した語として侮蔑的に使われることがあったので、現代では禁句となっています。一般的には代わりにAsianが使われ、「アジア系アメリカ人」はAsian-Americanです。中国人を指すChinamanも差別語でタブーです。

　人気歌手のビリー・アイリッシュ（Billie Eilish）が過去の動画をまとめて公開し、その中にChinkと言っているように聞こえる短い動画が含まれていました。この語は中国人、または中国系の人々に対する差別用語です。そこからサイトが炎上し、中国人のファンが怒ったということがありました。

　このことを伝えた英語の新聞記事の中にはc***kと伏字にしているところもあり、微妙な語だということがわかります。

　私はかつてあるベトナム企業のPRを担当していたことがあるのですが、その企業のトップと会った後に出した礼状に、「よい雰囲気の下でお話ができて…」という意味でin a good atmosphereと書いたつもりだ

ったのですが、goodを打ち違えてgookとしてしまったことがあります。出す前に気がついたのでよかったのですが、冷や汗ものでした。この語はベトナム戦争時の「ベトコン」からベトナム人の蔑称です。

　日本人の蔑称はよく知られているようにJapですが、短い語なので、英米のメディアの記事の見出しなどに戦後もしばしば使われてきました。しかしJapanese American Citizens League（日系アメリカ人市民同盟）がJapという語を使わないでくださいと伝える地道な運動をマスコミに対して行い、今ではほとんど使われなくなりました。オリンピックなどにおける国名の表記もかつてはJAPだったのが、今ではJPNに変更されています。

　また、日本人や中国人などのアジア系はrとlの区別ができないとか、英語の発音が下手ということで、時々揶揄されることがあります。「カチャッ」というカメラのシャッター音は、英語の擬声音としてはclickと表記されるのですが、日本製カメラの場合はcrickという音を発する、などとからかわれたものです。

　メジャーリーグのタイガースなどで活躍した元名投手のジャック・モリス（Jack Morris）が2021年、タイガース対エンゼルスのテレビ解説で大谷翔平へ差別的な発言をしたとしてテレビ局から無期限の出演停止処分を受けました。

大谷の打席での対策を問われた際に"very, very careful"と言った言葉が、日本人を真似たアクセントで差別的だと受け取られたのです。

このように外国人のアクセントの真似をすることは、コメディアンなどが昔からやってきて、普通に笑いを取ってきたものですが、現代においては非常に微妙でリスクの伴う行為になってきています。悪気もなく、つい言ってしまったとしてもその代償は大きいのです。

## 「ガイジン」は禁句

「外人」は差別用語だそうで、放送などでは「外国人」を使います。これは、中南米で白人の外国人に対して侮蔑的に使うgringoなどとは、まったく意味合いが違うと思うのですが、「ガイジン」には身内とよそ者を区別する無意識の心理が働いていて、ダイバーシティの世の中にはそぐわない、と指摘する向きもあります。

世界初の24時間放送のニュース専門チャンネルCNNを1980年に創業したテッド・ターナー（Ted Turner）氏は、当初foreignを放送禁止用語とし、使った場合には50ドルの罰金を徴収すると宣言したそうです。

foreignという語にはus vs. them（自分たち対よそ者）と、排他的に違いを強調する響きがあり、国際的なテレビ局にそぐわないと考えたものです。

代わりにinternationalやnon-U.S.などを使うことになったので、「外国人留学生」はforeign studentではなくinternational studentと呼ばれます。大多数の大学の入学案内などでも今では一般的にそう記載されています。

　例外はforeign exchange（外国為替）、foreign minister（外務大臣）、foreign reserve（外貨準備高）など、慣用的に代替が利かないフレーズです。foreignやforeignerは、現在はCNNでは放送禁止用語ではありませんが、排他的な語感を与えると思われる場面には避けたほうがいいでしょう。

　spick-and-spanは「しみひとつない」「ピカピカの」という意味の形容詞ですが、SpickはHispanicの人たちを侮辱した語でもあるので、タブー視されるようになってきました。

　またSpic and Spanはプロクター・アンド・ギャンブル（Proctor & Gamble）社が1945年から発売している家具・床磨き剤の名前ですが、同社はその名前とロゴを変更すると発表しています。

　フリップチャート（flip chart）は、講演などの際にめくりながら話をする時に使うツールですが、Flipがフィリピン人を侮辱する語というので、これも使われない傾向にあります。

## スポーツチームのネーム変更

　アメリカの多くのスポーツチームの名称やマスコットに差別的なものが使われていて偏見と誤解を助長しているということで、名称変更のプレッシャーが長年あったのですが、その先陣を切ってCleveland IndiansがCleveland Guardiansと2022年のシーズンから名前を変更することを発表しました。またそのマスコットの「酋長」Chief Wahooは2018年限りで使用を中止しています。

　また、アメリカン・フットボールのチームのワシントン・レッドスキンズ（Washington Redskins）も、その名称について先住民の団体などから何度も抗議を受けてきたのですが、こちらも近く変更すると見られます。redskinは、ほとんどの辞書に「（侮蔑語）北米先住民」などと載っています。

　その他にも、アメフトのチームではカンザスシティ・チーフス（Kansas City Chiefs）やホッケーではシカゴ・ブラックホークス（Chicago Blackhawks）も先住民に対して差別的とされ、批判の的になっています。

## 相次ぐブランドネーム、マスコットの変更

　2020年6月、BLM運動が燃え盛る中、パンケーキ

ミックスやシロップのブランドとしてよく知られている「アント・ジェマイマ」（Aunt Jemima）や、米などの有名ブランドの「アンクル・ベンズ」（Uncle Ben's）といった名称、およびパッケージに使われている人物像やロゴなどが、黒人のステレオタイプを表し偏見を助長していると批判を受け、それぞれのメーカーは変更すると発表しました。

そして1年後、Aunt Jemimaは Pearl Milling Company に、Uncle Ben's は Ben's Original とリブランドされ、新しいロゴも発表されたのです。

この2つについては、実存した人物の名前だったようなのですが、パッケージの表面に描かれていた人物が、いかにも白人が顔を黒く塗って黒人を真似るミンストレルショー（minstrel show）に出てくる人物や、奴隷制当時の典型的な黒人のように描写されていると批判されました。

また Uncle, Aunt という名称も奴隷制度時代に、白人が黒人に対して Mr. や Miss, Mrs. といった敬称を付けるのを嫌い、代わりに使っていたものだったからです。

これらに続いて、バニラアイスをチョコレートでコーティングしたアイスクリーム「エスキモー・パイ」（Eskimo Pie）の名称を変更するという発表がありました。この製品も約100年もの歴史があるのですが、「エスキモー」の原義は「生肉を食べる人」ということ

で、近年は侮蔑的で偏見を助長すると非難されています。これはイヌイット（Inuit）やユピック（Yupik）など、ベーリング海峡沿岸からグリーンランド東岸に至る極北地帯に住む先住民を指す言葉です。

boyは主に18歳以下の少年を意味する普通の名詞ですが、かつては年齢に関係なく、黒人男性に呼びかける際の見下した呼び名であったため、黒人男性に対しては年齢に関係なく注意して使わなければならないとされています。「APスタイルブック」では、黒人男性について使う場合はできれば年齢を明記するか、あるいはyouth, child, teen などを使うのがよいとしています。

『ちびくろサンボ』（*The Story of Little Black Sambo*）という本に出てくるSambo は黒人の蔑称です。またUncle Tom も、アメリカの作家H. B. Stowe作の小説『アンクル・トムの小屋』（*Uncle Tom's Cabin*）に出てくる黒人奴隷の名から「白人に対して屈従的な黒人」の意味で軽蔑的に使われます。

plantation（大農園）といった語も奴隷制度のことを思い起こさせるので、ブランド名などには避ける傾向にあります。

---

### Merry Christmas から Happy Holidays に

---

会話において避けたほうがいい3つの話題は「政治」

「セックス」「宗教」などと一般的に言われています。しかし2001年9月11日のアメリカ同時多発テロを境に、Christmasに対する意識が一変してしまいました。この語があたかも「タブー」のように扱われ、クリスマスをキリスト教徒の祭典ではなく、異なった信条や人種の人たちも祝うことのできる「年末の非宗教的行事」「年末の一大イベント」ととらえる傾向が生まれたのです。

　アメリカのカードショップに入れば、Merry Christmasと書かれた定番のクリスマスカードも売られてはいますが、Season's GreetingsやHappy Holidaysなどと書かれたholiday greeting cardが大半になっています。

　クリスマスツリーに関しても、空港など公共の場所に設置するのは憲法違反であると唱える人たちが訴訟を起こしたりして、物議を醸しました。

　最近のアメリカでは、クリスマス前の街の雰囲気が90年代とはまったく違っています。かつてクリスマスといえば、家々にクリスマスツリーが飾られ、デパートのショーウィンドウにはイエス・キリストの厩での誕生のシーンなどが人形で再現され、それらを見て回るのも楽しみだったのですが、こうしたキリスト教的なシンボルの影が薄くなり、あまり宗教色を感じさせない飾りが増えてきました。

　クリスマスはキリスト教徒だけのものではなく、年

末にはユダヤ教徒もイスラム教徒も黒人もその他の人種も祝えるようなものに、という流れが定着しつつあるようです。

　年末恒例の Christmas party も holiday party とか yearend party と呼ぶようになりました。

# 多様性の時代

## political correctness という考え方

1970年代後半から80年代にかけて political correctness（略して PC）という考え方が叫ばれるようになりました。「政治的妥当性」「政治的正しさ」などと訳すこともありますが、これは基本的に「政治」とはあまり関係なく、「差別的でなく、公正さを期した表現や言葉遣い、行動、考え方」を意味します。人種や宗教、性別などの違いによる偏見・差別を排除した中立的な表現や用語を用いることを指すものです。

こうした考え方に基づいて、mailman（郵便配達人）が mail carrier に、fireman（消防士）が firefighter に、policeman（警察官）が police officer に、sportsman が athlete に変わるなど、男性・女性の区別をしない gender-neutral な語が多方面で使われるようになりました。

レストランの接客係については waiter, waitress に代わる語として、アメリカでは男女ともに一般的に server が使われます。集合名詞は waitstaff です。

かつて男女共学の大学で学ぶ学生は総称として、coeducational を略した coed と呼ばれていたのですが、

この語はやがて共学の大学の「女子学生」を指すようになりました。しかし、男子学生を指す語はなく、coedは軽蔑的に使われることも多かったので、現在では差別語とされ使用されなくなっています。

職業名で女性形を表す-essが付いた語も英語の語彙から急速に消えつつあります。いい例がstewardessです。これは珍しい単語で、左手だけを使ってタイプができる最も長い語（10字）ですが、現在では、stewardとstewardessを包括したcabin attendantあるいはflight attendantが使われます。

もう1つactressですが、最近では「女優」自身も自らをactorと称することが多く、actressはほとんど死語になりました。

2020年にベルリン国際映画祭は男優賞と女優賞（awards for the best actor and actress）をそれぞれ廃止し、性別を区別しない演技賞（best leading performance and best supporting performance）を翌年から新設すると発表しました。主要な映画祭で性別に関係ない演技賞が設けられるのは初めてです。

actor – actress, hero – heroine, heir – heiress, poet – poetessのように男性名詞と女性名詞が存在し、両方を含む総称がないかあまり使われない場合には、男性名詞を使うのが現代では一般的になってきています。

chairmanがchairperson（あるいは単にchair）となり、anchormanがanchorperson（あるいはanchor）と

なったように、-man を -person などと言い換えること
が広まった中で、Cooperman という女性が1977年に
ニューヨーク州で Cooperperson と改名を申請し、認
められた例も実際にありました。

　また、イギリスの Manchester を Personchester に改
名する動議が地元議会に提出された、という話もあっ
たのですが、こちらはジョークでした。

　その他の PC の例としては、fat の代わりに differently
sized、drunk を chemically inconvenienced などと言い
換えがなされました。いずれも、現在ではユーモラス
な文脈で使う場合以外にはほとんど姿を消しています。

　PC という考え方により、「差別用語」なるものが排
除されるようになりました。その結果、日常生活にお
ける「過剰な配慮」が人々を畏縮させている、と感じ
る人も増えているとも言われます。

　たとえば、かつて幼稚園や小学校付近にあった「速
度落とせ　学童」という交通標識 Slow―Children が撤
去されたのは、slow に「のろまな」「頭の鈍い」とい
う差別的な意味があるという指摘からだったと言われ
ます。今では Slow Down に取って代わられました。

　すべてを「差別」に結びつけるもろもろの動きにつ
いては、過剰反応ではないか、言葉狩りでは、という
声もあり、一部には揺り戻しの動きも感じられます。
もともとドナルド・トランプ（Donald Trump）氏が
大統領に選出された背景には、PC にはっきりと反対

し、本音をぶちまけるトランプ流に共感するアメリカ人がかなりいたとされています。トランプ前大統領は不法移民のことを murderers and thieves（殺人者と泥棒）とか animals（動物）や rapists（強姦犯）と呼んだこともあります。

　日本語でも「保母」が「保育士」に、「看護婦」が「看護師」に、「助産婦」が「助産師」などと性別を問わない名称に変更になりました。

## ダイバーシティを表すDE&I

　1990年代になって、diversity という語がアメリカのビジネス界で「企業の人材活用や労働市場における人材の多様性」という意味で使われるようになりました。ただ、当時は企業イメージなどを考慮に入れた形だけの多様性、平等主義も横行していた時代です。企業や政府機関が、人種差別、性差別がないことを示すために、役員や広報担当など目立つところに黒人や女性を配属することもあり、こうした「お飾り」の人は token black［woman］とか showcase black［woman］などと軽蔑的に呼ばれていました。またそうした形式上の措置を tokenism と言います。

　しかし、近年は「多様性」の意味合いが大きく広がってきています。現在では人種や民族、ジェンダーの違いに加えて宗教、婚姻状況、年齢、出身地、障害、

社会・経済的地位、教育、言語や外見などさまざまな要素も含まれるようになってきました。

そうした違いをただ認識するだけではなく受け入れ、違いを活かして個人の力が十分に発揮できるようにすることが inclusion（包括、包含）であるというところから、diversity and inclusion（D&I）とも呼ばれます。

さらに最近では、それに equity を加えて DE&I などとする企業も増えています。equity とは公平性のことで、特に採用や給与における平等、差別のない処遇のことです。しかしこれらの語の概念はオーバーラップする部分もあり、意味や用法は時代とともに少しずつ変化しています。

企業の人材活用の面において多様化が進むのと同時に、企業が対応する消費者側にも同様の多様化が進行してきました。こうした多様化したマーケットにきめ細かい情報発信を行うことを diversity marketing と呼びます。

## 変わる「美の基準」

2020年にパンデミックが起こる前から、アメリカの成人の約40%が「肥満」の状態にあると言われていました。肥満は万病のもとですし、新型コロナウイルスに感染した場合には重症化するリスクが高いと言われますから、日ごろから適度な運動やバランスの取れた

食事などによって適切な体重を保ち、健康を意識することが大切です。

　体重を落としたいという欲求は、アメリカでは年間600億ドル規模の巨大なダイエット産業を作り出しました。その背景の一端には、体重や体形・外見を嘲笑したり、そのことでいじめたりするbody-shamingが近年社会問題になってきたこともあると言われます。

　アメリカでは長い間、「肥満の原因は意志の力の欠如（lack of willpower）」だと言われ、太っている人は自律心が弱く、リーダーには向かないと信じられてきました。現在では、肥満は遺伝などの複合的な要因によるものであり、本人の意志の弱さだけによるものではないことが科学的に証明されていますが、職場や学校などにおいて「太目」の人たちはいろいろないじめや差別に遭ってきました。

　しかし2010年くらいから、body-positivity［body-positive］という社会的な運動が盛り上がりを見せてきました。これもさまざまな側面における多様性の促進を反映したもので、画一的な美の基準から離れて、体重や体型の多様性を受け入れようというものです。
「特大サイズの」という意味の婉曲語の形容詞としてはplus-sizeが使われます。この語の確定した定義はないのですが、アメリカでは一般的にsize 12 and aboveを指すとされています。日本ではXLあるいは3L、4Lなどと表記される特大サイズのことです。今ではアメ

リカの大手小売店やデパートなどに、Plus Sizeと書かれた服売り場などが設けられています。

体重が増えた人に「太ったね」などと言うのは非礼にあたる、というのは比較的広く理解されているのですが、その反対に、減量した人に「やせましたね」と言うのは一種の褒め言葉のように受け取られることがあります。

しかし、体重が減ったのは病気などによって健康を害したためかもしれません。体形・体重に関してコメントをするのは、一般的にタブーと思っておいたほうがいいでしょう。

知り合いのアメリカ人に都内の街角でばったり会った時のことです。彼は以前よりかなり体重が減っていたように見受けられたので、思わずOh, you've lost weight.と口にしてしまいました。それに対して彼は無表情で、Yes, for wrong reasons.と答えたのです。悪いことを言ってしまったと、頭から冷や水を浴びせられたような気がしました。後日わかったのですが、彼がやせていたのは減量の結果ではなく、病気によるものだったのです。その時体重に関するコメントは決して人に言わないようにしようと、心に誓いました。

## 障害のある人は、「人」ファースト

かつては「障害」という意味でhandicapという語が

使われました。障害者専用の駐車スペースにHandicap Parkingといった標識も見られましたが、handicapも現在ではタブー視されています。

　形容詞としてはhandicapped以外にもcrippled, afflictedといった語が使われていましたが、これらも避けるべきです。

　アメリカではAmericans With Disabilities Actという法律が1990年に制定されましたが、disabilityには「無能」「無力」という意味もあるので、この語を嫌う人もいます。ただ、それに代わる言葉については、まだコンセンサスが得られていません。

　日本語でも、最近は「障害」ではなく「障碍」や「障がい」も使われます。また「障害をもっている」は放送では不可で、「障害のある」を使います。誰も好き好んで障害をもつことを選んでいるわけではないのですから。

　「障害のある人」はdisabled personではなく、a person [people] with disabilitiesが丁寧な言い方です。このようにまず「人」を先に出すperson-first ideologyとかpeople-first languageなどと呼ばれる用法が、最近では主流になってきました。障害のある人はまず「人」であり、障害はその人の存在にとって二次的なものにすぎない、という考え方です。

　かつては〜challengedという形も用いられました。最初に使われたのは「身体的障害のある」を意味する

physically challengedだったようです。

その後、そこから拡大していろいろな使われ方をしています。たとえば、aesthetically challenged（美的なチャレンジを受けた＝醜い）、chronologically challenged（年代的な〜＝年とった）、financially challenged（財政的〜＝破産した）、linguistically challenged（言語的〜＝外国語を話せない）などです。

少々ふざけたところでは、horizontally challenged（水平方向に〜＝太った）、vertically challenged（垂直に〜＝背が高い、あるいは低い）などがあります。

こうした複合語は、ユーモラスな文脈で使う場合以外には現在ではほとんど姿を消してしまいました。「健常者」という日本語も避けたほうがいいとされています。心身ともに100％健康な人などいません。人によって障害の「度合い」が違うだけです。

「健常者優先主義」「身障者差別」という意味の単語がableismで、そうした差別用語をableist languageと言います。たとえば、fall on deaf earsは「（頼み・忠告などが）無視される」、turn a deaf earは「耳を貸さない」、turn a blind eyeは「見て見ぬふりをする」という意味のイディオムですが、deafもblindも現代では差別語とされているので、避けることが奨励されます。その代わりにignoreとかchoose not to engageなどを使うのがいいでしょう。

deafではなくa person with（partial）hearing loss

とか、blind は a person with low [impaired] vision などを使います。

　また blind spot は「盲点」のことですが、これも unconscious bias とか loophole と言い換えるのがいいとされます。

　tone-deaf は「音痴の」ということですが、「正しい音程で歌えない」という以外に、日本語の KY（空気読めない）と同じような意味でも使います。これも ableism と非難されるのを避けるためには insensitive, out of context などと言い換えます。

　こうした人種や障害に関連した言葉は、これからも変化し続けるでしょう。

# ジェンダーを理解する

## LGBT から LGBTQIA+ に

「性別」には male と female の 2 つしかないが、「ジェンダー」には、その他に「中性」(neuter) がある、というのが 30 年くらい前までの多くの人の理解でした。当時は主に文法上の区分としてしか意識されていなかった gender ですが、現在は数多くのジェンダーが存在しているという認識が広がっていると思います。

アメリカなどの歌手や俳優などが最近よく自認するようになった pangender（あるいは pansexual）という語は、正式な定義は確立されていませんが、「ジェンダーに関係なく、相手に性的・感情的・精神的な魅力を感じることのできる人」を意味します。sapiosexual は「知性が一番の性的魅力だと感じる人」のことです。

homosexual は「同性愛者（の）」、heterosexual は「異性愛者（の）」ということで普通に目にする単語になってきました。また、transgender は出生時に割り当てられた（assigned at birth）ジェンダーと自分の性自認（gender identity）が一致しない人のことです（しばしば trans と略されることもある）。また、一致する人は cisgender と呼びます。

それ以外にいくつのジェンダーがあるのか。アメリカのYahoo! が運営するウェブサービスのTumblrは、100以上のジェンダーのリストを掲げています。

　LGBTは lesbian, gay, bisexual, transgenderの略で、「性的マイノリティ」を意味するということはよく知られるようになってきましたが、最近はLGBTQIA+などとLGBTにいくつかアルファベットの文字や記号が付け加えられているのを目にすることがあります。

　まずは、QIAですがQは questioningあるいは queerの略です。questioning とは自分の sexual orientation（性的指向）あるいは gender identity（性自認、性同一性）がよくわからない、あるいは意図的に決めていないということ。

　性的指向とは、どんな相手に恋愛感情を抱くのか、どんな相手に性的感情を抱くのか、といった要素のことです。性自認とは、自らが自認している性のことです。たとえば、自分自身を男性と認識するのか女性と認識するのか、あるいはどちらとはっきり決められない、どちらでもないなども含みます。

　queerは、もともと「奇妙な」といった意味の語で、以前は gayと同じく、主に男性の同性愛者への侮辱語として使用されていました。それが1990年代以降には、「自分たちは queerや gayだけど、それがどうした！」といった開き直りのニュアンスで使われるようになったとも言われます。

現在では性的マイノリティを包括する肯定的な言葉として使用されています。ただし、文脈や相手との関係によっては今でも侮蔑的と受け取られることがあるので、気をつけて使わなければなりません。

　Ｉはintersexで、「両性具有の」あるいは、身体構造が一般的に定められた男性・女性のどちらとも一致しない「間性の」という意味です。

　Ａはasexualあるいはallyの略です。asexualは「無性の」で、誰に対しても恋愛感情と性的欲求を抱かない人を意味します。allyには「同盟者」「支持者」「味方」といった意味がありますが、自分は性的マイノリティではないが性的マイノリティのことを理解し、その人たちの味方になる人のことです。

　またQIAの後に＋（plus sign）や＊（asterisk）を付けることもあります。それによってLGBTQIA以外のすべてのジェンダーを含む、ということなのですが、長くなってしまうので、それらすべてをqueerあるいはgayという1語で表せばいいではないか、と主張する人たちもいます。

　ただ、そうした動きに対して、MAABやFAAB,UAABを表示することを主張する人たちもいて複雑です。MAABはmale assigned at birth、FAABはfemale assigned at birth、UAABはunassigned at birthのことで、出生時に新生児の性器を医師が確認し、「出生記録に記載された性」を意味します。

M2FやF2Mを使う人もいます。つまりmale-to-femaleは男性から女性に、あるいはfemale-to-maleは女性から男性に性転換や認識転換をした人です。

　こうした語は、出生時のジェンダーはその後も不変ではなく、異なる可能性もあることを示唆しています。

　さらに複雑なのは、アメリカでは出生証明書から「性別」欄を削除しようという動きがあることです。

　2021年6月に、医師と医学生で構成されるアメリカ医師会（American Medical Association）が、出生証明書の性別表記を廃止するよう求めました。公的書類である出生証明書に新生児の性別を記載することは、自身の性自認や自己表現が「出生時に割り当てられたジェンダー」と異なる人にとって、「混乱や差別を招く可能性がある」としています。

「性別をmale, femaleの2択にして出生証明書に記載することは、性別が不変であるという見解を永続させることになる」とも指摘しています。他方でこの提言はソーシャルメディアなどで、大きな反発も招いています。

　またこの提言に先立ってアメリカ国務省は、性的マイノリティの人たちの権利に配慮し、パスポートの性別欄に男性と女性以外の選択肢を新たに設け、自由に選択できるようにする方針を明らかにしました。

　アメリカのパスポートでは、「男女以外の性」を選択することができるようになっています。2021年10月に

ジェンダー欄にＸと書かれた最初のパスポートがDana Zzyym という intersex の退役軍人（navy veteran）に発行されました。この人は、出生証明書では male に、運転免許証では female となっていると報じられました。

Zzyym というのはご自分の造語でないとすれば珍しい苗字ですが、YouTube では［zím］と発音されています。Dana は男性、女性どちらでも使えるユニセックスの名前です。

最近は、first name を見てジェンダーを推測することが難しくなってきています。たとえば Charlie ですが、これは男性名の Charles の愛称とされてきましたが、女性名の Charlotte のニックネームとしても用いられます。現在では Charlie という愛称を使うのは男性、女性ほぼ半分半分だそうです。

同様に Hayden, Emerson, Rowan, Finley なども男女どちらでも使える名前です。

バイデン政権で運輸長官を務めるピート・ブティジェッジ（Pete Buttigieg）氏は、同性愛者であることを公言したアメリカ初の閣僚として知られていますが、バイデン大統領としては、政権として多様性を重視する方針を鮮明にしています。

そのブティジェッジ氏が2021年8月、夫のチャスティン（Chasten Buttigieg）とともに、男児と女児を養子に迎えたことを発表し、大きな話題になりました。

すでにカナダでは2017年8月に、パスポートにＭ

（male）、F（female）に加えて3つ目の性別X（un-specified）が登場しています。

性別にXやU（unknown）を導入しているのはカナダだけではありません。オーストラリア、アルゼンチン、ニュージーランド、ドイツ、インド、パキスタン、バングラデシュ、ネパールなどでも、現在そうした選択肢があるそうです。

アメリカでも約20の州と首都ワシントンで、運転免許証のジェンダー欄にXの使用が許されているといわれます。

また最近よく目にするようになってきたのはSOGIです。これはsexual orientation and gender identity（性的指向と性自認）の頭字語で、LGBTよりも広い概念を表しています。つまりこれは性的マイノリティだけでなく、異性愛の人なども含めすべての人がもっている属性のことを指します。

---

### 禁句になった常套句

「日本語のスピーチは『只今ご紹介にあずかりました〇〇でございます』と口火を切ることが多いけれど、それをそのまま訳してもあまり意味を成さないので、英語にした場合にはLadies and gentlemen: と始める」と、同時通訳の草分けと言われた村松増美氏からかつてお聞きしたことがあります。

これは、スピーチやアナウンスなどの冒頭で使う定番中の定番のフレーズだったのですが、2017年にニューヨークやロンドン市内を走る公共交通機関において、このフレーズの使用が禁止されました。

　LGBTで表される性的マイノリティの権利を尊重しようという動きから、「男性か女性か」「1か0か」という二者択一のbinaryな考え方からの脱却を求める傾向に呼応したものです。

「ジェンダーの区別のない」という意味の形容詞としては、gender-neutral, gender-fluid, genderless, nonbinaryなどが使われます。

　なお、「ジェンダーフリー」は和製英語で、本来の英語ではありません。-freeは、ハイフンの前にある物質、要因など（通常は望ましくないもの）が「ない」ことを意味するものだからです。「ジェンダー」の種類はたくさんありますが、ジェンダーのない人はいません。

　Ladies and gentlemen:に代わって、乗務員はHello, everyone［passengers, riders］.などと性別のない語を使って呼びかけているようです。

　他の国においても、日本航空を含め、多くの交通機関がLadies and gentlemen:というフレーズを封印するようになっています。こうした配慮は欧米では、公的機関だけでなく一般企業や教育機関などにも急速に広がっています。

「皆さん」に相当する呼びかけの言葉としてはfolks, team, peopleなども用いられます。アメリカではyou guysも、男女混合のグループや女性だけのグループに呼びかける場合にも、かなり以前から普通に使われています。本来、guyは「男」「奴（やつ）」を意味する語ですが、you guysという形は、主にアメリカの口語で相手の性別に関係なく使えるフレーズとして、広く使われるようになってきたものです。

　アメリカの人気テレビ番組が世界中に輸出されるようになった1970年代以降には、イギリス英語やオーストラリア英語にもyou guysという用法が浸透するようになりました。「単数形のguyは男性を、複数形のguysは男女を意味する語」と用法が変化するのではないか、と推測する言語学者もいたのです。

　ただ、guyには本来の「男」の意味合いが強いと感じ、こう呼びかけられることに反発する女性や、you guysと言われることを「なれなれしすぎて不快だ」と感じる人たちもいるので、気をつける必要があると言われてきました。

　しかし時代は移り、もともとはアメリカ南部の方言でyou allの短縮形のy'allという用法が、「特に南部よりはるかに遠い地域のニューヨークや海外に住む人たちの間でも、過去2、3年の間に爆発的な広がりを見せているようだ」（in the past couple years, 'y'all' seems to have exploded in use, including and especially among people who live far outside the South...like New York City, and even overseas.）、とBBCのウェブサイトでは報じています（2021年11月24日）。

こうしたトレンドをリードしているのはGen Zと呼ばれる若者や性的マイノリティに親近感を抱く人たちで、you guysに変わるジェンダー区別のない語としてy'allがアメリカだけでなく、オーストラリアやイギリスなどでも最近は使われるようになってきているそうです。

東京アメリカンクラブなどでは、ずっと以前からアンケートなどで「男」「女」「その他」という区分けを作っています。最近は日本の病院などでも「その他」の項目を目にすることがあります。

カナダ政府は、2018年にカナダ国歌O Canadaの歌詞を一部修正しました。歌詞の中のall thy sonsを、all of usに変更したものです。ジェンダー間の平等に向けた取り組みが、国歌の歌詞をも変更させる大きな力になっています。

ちなみに、オーストラリアも2021年に国歌の歌詞の変更を発表しました。変更されたのは、1番の歌詞のWe are young and freeの部分で、変更後はWe are one and freeとなります。

オーストラリアは近代国家としては比較的若いのですが、先住民の歴史は6万年にも及ぶと言われます。そうした点から、国歌の歌詞も議論の的になっていま

した。近年は、先住民の呼び名や制度上の不平等、人種的不公平に関する議論も高まってきています。

## 同性婚

　アメリカにおいて、標準的な核家族が廃れつつあるのと同時に、家族の形態も多様化してきています。その背景には、同棲・結婚・離婚・再婚などに対する意識の変化と、それに伴う家族関係や親子関係の複雑化、それに一人暮らしや子供のいない家族の増加があるといわれます。

　2015年6月、アメリカの連邦最高裁判所は、全米すべての州での同性婚を認める判決を下しました。これにより同性婚のカップルは、異性婚のカップルと平等の権利が保障されることになったのです。

　なお同性婚は一般的にsame-sex wedding [marriage]と呼ばれますが、法的に認められた婚姻関係という意味でcivil unionという語も使います。

　最近は、アメリカのほとんどの新聞に「同性結婚のお知らせ」(same-sex wedding announcement) が載るようになりました。ちょっと前には考えられなかったことです。

　同性婚の場合、結婚祝いの贈り物などには通常の結婚と同じ原則を当てはめればいいのですが、その他のマナーについては不明確なことも多く、新聞雑誌やテ

レビ局のサイトの人生相談欄（advice column）にはいろいろな質問が寄せられています。

そこにはこんな回答も。教会から出てくる新郎新婦に参列者が米粒を振りかけて祝福する rice shower や、独身生活最後の bachelor/bachelorette party も伝統的な習慣ですが、同性婚の場合には行われないのが普通とのこと。また、一般的な披露宴では新郎側、新婦側と席が分けられていますが、同性婚ではミックスした席が設けられることが多いそうです。

かつては、同性婚のカップルはお互いを partner や significant other などと呼んできたのですが、現在では Buttigieg 氏の例のように、男性どうしのカップルの場合には 2 人とも husband を使い、お互いが spouse（配偶者）となります。

his husband, her wife などという言い方も、最近ではかつてほど違和感なく受け入れられるようになってきています。また、役割分担を決めて呼び名を使い分けているカップルもいるようです。そうしたカップルの子供たちは、一方の親を daddy、もう一方を dad、あるいは mommy, mom などと呼んで区別することもあると言われます。

また、father と mother を合わせた mather や、mommy と daddy を合わせた maddie といった造語で自分たちのことを呼ばせる性的マイノリティの親もいるとも報じられています。

come out（of the closet）は「秘密を公にする」ということですが、現代では「性的マイノリティであることを自ら公表する」という意味でも使います。また、普通名詞としては「遠足」「遠出」という意味のoutingは、「ある人が性的マイノリティであることをその人の意思に反して暴露する」ということです。

---

## Ms. から Mx. へ

Ms.は、相手が未婚か既婚かわからない時にも使える「便利な」敬称で、最初は1950年代に提唱されたのですが、広く使われるようになったのは70年代初頭からとされています。

1971年に私がオハイオ州立大学ジャーナリズム学部に留学した時、ある授業の宿題のレポートの中で人名にMs.を使った学生に対して、教授が「これはどういう意味か」と尋ねたのが印象的でした。学生が「未婚・既婚の区別のない女性の新しい敬称です」と答えると、教授は「ふ〜ん。最近はそんな使い方をするのか。初めて知った。ジャーナリズムの用語ではms.はmanuscript（原稿）の略である」と言っていました。

まだ当時は誰もが知るような語ではなかったようです。ウーマンリブ（women's lib）の教祖的存在といわれるグロリア・スタイネム（Gloria Steinem）が編集長になって女性月刊誌 Ms. が創刊されたのが1972年（19

87年終刊）、Ms. が国連などで正式に採用されるようになったのは1973年です。しかし「ニューヨーク・タイムズ」は1980年代中ごろまでこの語の使用を認めていませんでした。

Ms. に関しては、当初はいろいろな反対意見がありました。たとえば、複数形がはっきりしない（複数形は Mses.）とか、発音が Mrs. と紛らわしい（アメリカ南部の地域によっては Ms. も Mrs. も［míz］と発音される）とか。またこの語が女性解放運動を連想させるところから、そう呼ばれるのを好まない女性もいました。

近年、Ms. は広く一般に使われるようになり、Miss や Mrs. という敬称はほとんど姿を消したように見えました。しかし最近、Mrs. を使う人が目立ってきたと言われます。それは合法的に同性婚をした人たちで、正式に結婚しているということを、はっきり伝えるメッセージでもあります。

gender-neutral な敬称としては Mx.（発音は［míks］）があり、OED には2015年に正式に収録されています。

Mx. が最初に使用された記録は1977年で、アメリカの雑誌 *Single Parent* にあるそうです。アメリカでは Mx. はまだあまり見かけませんが、イギリスでは2013年以降、官庁や銀行での正式な書類や運転免許証、パスポートにもこの語が使われてきました。今後、目にする機会はもっと増えるでしょう。

1970年代の女性解放運動が、Ms.という語の確立を後押ししたように、Mx.もダイバーシティの時代に、日本語の「さん」や「様」と同じように、誰に対しても使うことのできる新しい敬称として市民権を得つつあります。

　ジェンダーに対する社会の新しい見方が、英語の敬称にも影響を与えたというのは画期的なことです。

　日本では古くから男女両性の3人称を表すのは、「かれ」だったのですが、西欧の言語に接すると、男女の区別があるので、西欧語で女性を表す3人称代名詞の訳語として「彼女」が生まれたと言われます。英語におけるこうした用法の推移が、日本語にも影響を与える時代が来るかもしれません。

　ニューヨークのCommission of Human Rightsは2015年にgender-neutralな代名詞を発表し、市内の事業主や家主・地主に、he/him/hisやshe/her/hersに代わる代名詞のthey/them/theirsあるいはze/hirを代名詞として使うよう求めています。相手が望まない名称を故意に悪意をもって繰り返し使った場合、「差別」と認められれば、事業主は最高25万ドルの罰金を科せられることになっているのです。

　アメリカの企業の間では、ジェンダー代名詞（gender pronoun）の使用が広がっています。transgenderやnonbinaryの同僚への支持を示すため、胸につける名札やメールの署名などに、自らを表すあるいは呼んで

もらいたいと思うジェンダー代名詞を表示する取り組みが行われているのです。一般的には名前の後に括弧を入れて（they）などと書き入れます。

2018年から、10月の第3水曜日がInternational Pronouns Dayと設定され、いろいろな草の根的運動が展開されているようです。

日本でも、体と心の性が一致しないtransgender女性がうつ病を発症したのは、勤め先の上司から「彼」と呼ばれたり、身体的特徴についてたずねられるなどのハラスメントを受けたことが原因だとして、神奈川県内の労基署に労災申請したことが報じられています。

この人は数年前に、性同一性障害の診断を受け、保険証などの性別欄にも「女」と明記されたトランスジェンダーですが、上司から執拗に「くん付け」されるなどの扱いを受けたためうつ病を発症したとして、労災認定を求めたものです。

言葉だけでなくdress codeにおいても、男性だけの制服、女性だけの制服や、「男性はネクタイ、女性はスカートの着用」といったことも強制できなくなっています。

欧米人の名前も見ただけでは、男性か女性かがわからない場合が時々あります。PatはPatrickとPatricia両方のニックネームですし、SamはSamuelとSamantha、AlexもAlexanderとAlexandraの場合があります（いずれも最初が男性の名前）。それにもちろん、日本人の

名前も、外国人には性別不明と思われることもあるでしょう。

そのような場合でも、Mx.は婚姻関係や性別にまったく無関係に使うことのできる敬称です。それを「便利で非差別的」と受け取る人もいるでしょうし、LGBTとの関連からMx.と呼ばれることを嫌う人もいるでしょう。

アメリカでは封筒の宛先などには、敬称なしにフルネームだけを書くことも、現代では失礼ではなくなってきています。敬称そのものが差別だ、と考える人もいるのです。

なお、イギリスではこうした敬称にはピリオドを使わずに、Mr / Mrs / Ms / Mxなどと表示するのが普通です。

---

## 3人称単数のthey

theyは「3人称複数の代名詞」ということは、英語を学習し始めてかなり早い時期に習うことですが、単数形としても用いられてきました。

会話に出てくる人物の性別がわからない、あるいはそれが重要ではない場合に使われたものです。たとえばジェンダーの区別のないkidやchildという語を会話で使って話をしている時に、「単数」ということは認識していながら、What's their name? とか How old are they? などと相手に尋ねることも普通にありました。

　また、Everybody has their off days.（誰でも機嫌の悪い日はある）では、主語は単数のeverybodyですから、代名詞はgeneric heの所有格であるhisが使われ、Everybody has his off days. とかつてはしていたのですが、これだと「男性」についてだけ言っているようにも思われるかもしれないし、性の多様性の見地から、hisではなくhis or herあるいはhis / herとされました。

　しかし、それではかえってstilted（堅苦しい、気取った）と思われたり、毎回he or she, his or her, him or herと繰り返すことの煩雑さから、theyを単数の代名詞として使う用法が広まってきたものです。

　こうした場合におけるthey / them / theirは「非標準」とされてきたのですが、口語では現在この形が圧倒的に多く使われます。

　一方、2010年代からよく目にするようになってきたsingular theyと呼ばれる用法は、heやsheで受けるのが不適切で、どちらとも呼ばれたくないnonbinaryな人に関してtheyを使うものです。

　3人称単数のgender-neutralな代名詞としてのsingular theyは、アメリカの辞書出版大手のMerriam-Websterが2019年のWord of the Yearに選びました。また2020年にはAmerican Dialect Societyが、theyをWord of the Decadeに選んだと発表しました。代名詞がこれだけ脚光を浴びるのは、非常に珍しいことです。

singular theyは、2015年に「ワシントン・ポスト」が正式に容認したのに続き、「APスタイルブック」も、2017年版から条件付きで使用を認めています。

「条件付き」というのはつまり、singular theyという用法にまだ慣れていない読者も多いので、theyを単数の代名詞として使うのは、ある特定の人物の性別を隠す必要があり、言い換えると不自然な場合に使うのがいいとして、最新版で次のような例文を出しています。

The person feared for their own safety and spoke on condition of anonymity.（その人物は自分の身の安全に不安をもち、匿名を条件に話をした）

またEveryone raised their hands.などの文はAll the class members raised their hands.と書き換えることもできるとしています。それによって主語と動詞の不一致が避けられるということです。

なお、theyを単数として使う場合でも、be動詞はisではなく複数名詞を受けるareを使います。こうした用法は「文法的におかしい」との指摘もありますが、2人称のyouも現在では単数・複数の両方に使われていますが、もともとは複数だけを意味していました（単数はthee）。theyも時代の移り変わりの中で、単数・複数ともに使われるように変化してきているのです。

## 復活してきた themself

アメリカの公共ラジオNPRの番組を聞いていて、ちょっと驚いたことがありました。インタビューを受けたある大手日刊紙の記者がhe themselfと言ったのです。heの再帰代名詞（reflexive pronoun）はhimself、sheはherselfで、theyはthemselvesというのは中学校で習う文法の基本ですが、themselfは普段あまり目にしません。

スペルや文法チェック機能がついている私のコンピュータでthemselfと打ち込むと、一瞬にしてthemselvesに変換されてしまいますし、大型の英語辞典でもこの語を収録していないものがあります。

いくつかの辞書には「非標準」とあり、桐原書店『ロングマン現代英英辞典　4訂増補版』にはMany people think this use is incorrect. と明記されています。

大修館書店『ジーニアス英和辞典　第5版』には、「この単数形は長く使われてこなかったが、単数のthey の出現とともに復活してきたもの。しかし、この用法は標準語法として確立しておらず、themselves を用いるのがふつう。堅い書き言葉ではhimself or herself が用いられる」と解説があります。

この記者はheというgender-specific な語を使ったので、themselfと続けるのはどうしても不自然に聞こえます。今のところthemselfを使うのは慎重にしたほう

がいいでしょう。

---

## 社会的不公正や差別などに高い意識をもとう

woke という語を stay woke という形で最近よく目にします。woke はもともと「目覚める」という意味の動詞 wake の過去・過去分詞です。ほとんどの辞書には動詞としての意味しか載っていないのですが、今では「人種および社会的な差別や不正に敏感な」(alert to racial or social discrimination and injustice) という意味の形容詞としても使われます。名詞は wokeness です。

stay woke というフレーズは、最初は1930年代のアメリカで、黒人に対する偏見や差別に関連して使われたものだそうですが、Black Lives Matter 運動をきっかけに広まりました。

Stay Woke と書かれたプラカードをもってデモをする人たちの写真も、マスメディアでよく見かけます。このフレーズの意味は「社会的不公正・人種差別・性差別などに対して高い意識をもち続ける」ということで、黒人だけでなく性的マイノリティや女性に対する差別に対しても高い意識をもつよう呼びかけています。

第 3 章

# 消える言葉、生まれる言葉

新型コロナウイルスやインターネットなどが、現代の英語に大きな影響を与え、たくさんの新語が生まれてきました。また普通名詞が新しい意味をもったり、新しい使われ方をするようにもなってきたのです。その一方で、ライフスタイルの変化による死語も出てきました。婉曲語も変化しています。

## もう目にすることがないコレポン用語

　私が大学生の時分には「商業英語」という授業がありました。Dear Sirs: あるいは Gentlemen: で始まり、I (beg to) remain yours sincerely [truly, faithfully]. などで終わる、レターの書き方を教えてくれるクラスです。貿易業務などに必要なこうした商業文は、correspondence を略して「コレポン」と呼ばれていました。

　その後、1970年代以降に指摘されるようになったのは、会社宛てにレターを出す場合、相手会社の関係者が全員男性であることがわかっている場合以外は、Dear Sirs and Madams: や Ladies and Gentlemen: などとするのが礼儀にかなっているということでした。

　しかし今では diversity の見地からこうした binary なフレーズは使わないほうがいいとされます。それに会社宛てに郵便で手紙を出すことはほとんどなくなりました。

　では、メールを出す場合にはどうすればいいのでしょうか。To whom it may concern（関係各位）という書き方もありますが、これはあまりにも古風で紋切型。

　現代では、それなりの会社はウェブサイトをもっているので、そこで担当者の名前とメールアドレスを調べて出すのがベストとされます。

　かつてのコレポン独特の表現として、inst., prox., ult.

などを学んだのを覚えています。それぞれinstant,
proximo, ultimoの略で、「今月の」「来月の」「先月の」
のことです。たとえば、yours [your letter] of the 14th
inst.は「今月14日付のご書面」ということになります。

　しかし現在では、こうした日付の書き方を目にする
ことはまずありません。月の名を明示してyour email
of March 14(th) などとするのが普通です。

　現代のbusiness writingでは「話すように書く」こ
とに主眼が置かれます。つまり、古めかしい決まりき
った陳腐な表現は避けて言文一致で書く、colloquial
writingが望ましいということです。

## ライフスタイルの変化による死語

　簡単な英語のフレーズを毎回紹介するテレビ番組が
ありますが、ある時「ものぐさのグズ人間」のことを
英語ではcouch potatoと呼ぶ、という説明があって驚
きました。

　これは1980年代後半からアメリカで大流行した言葉
で、日本でも1989年版の『現代用語の基礎知識』に
収められています。いくつかの辞書にも「カウチでく
つろいでポテトチップをかじりながらテレビを見て過
ごすような人」といった説明が載っていますが、これ
はただの「グズ人間」ということではなく、「テレビの
前から動かない人」のことですが、現在ではもうほと

んど死語になっています。

　この語が使われたのは2000年くらいまでです。「ニューヨーカー（*The New Yorker*）」の2016年7月6日号にWhat Ever Happened to the Couch Potato? という見出しの記事が掲載されていますが、それによればもう2016年の時点でアメリカの若者のほとんどはこの言葉を知らなかった、とあります。

　couchは「長椅子」のことですが、potatoは何を意味するのでしょうか。

　いくつかの説があるようですが、この語の元はシャレだったという説が有力です。アメリカの俗語で「テレビ」のことをboob tube、「テレビばかり見ている人」のことをboob tuberと呼びます。tuberはジャガイモなどの「塊茎」の植物のことですが、漫画家のロバート・アームストロング（Robert Armstrong）さんが、ソファにもたれかかってジャガイモがテレビを見ている図をシンボルにして始めたThe Couch Potatoesという会の名前がその発端だそうです。

　2000年以降のアメリカでは、テレビに代わってラップトップやスマホがエンターテインメントの主流になってきました。成人のアメリカ人がテレビを見る時間は2013年〜15年の間に7パーセント減少し、その間に、アプリやネットを見る時間はほぼ60パーセント増加したそうです。その傾向は、18歳〜24歳の年齢層の若者の間で特に顕著とのこと。

つまり、family TV roomのソファに座って、ジャンクフードを食べながらテレビを見るなどして怠惰に過ごす、という行動様式が廃れ、couch potatoという語も使われなくなってしまったというのです。

　これなどは生活様式の変化によってよく使われた言葉が死語になってしまったいい例ですが、ではそれに続く新しい生活様式からできた言葉はあるのでしょうか。

　それがbinge-watchingです。通常bingeはbinge-drinking（短時間に大量のアルコールを飲むこと）やbinge-eating（過食、ばか食い）と使うことが多いのですが、そこからの類推でインターネットやDVDでドラマシリーズをまとめて見るという意味でbinge-watchという新語ができてきました。

---

### かろうじて略号で残っている「カーボン紙」

---

　かつてはよく使われていた語が、現代になって実態がなくなり死語になってしまった例としてはカセットテープ、フロッピーディスク、SP盤、トランジスターラジオなど枚挙にいとまがありませんが、carbon paperもその1つです。ゼロックスなどのコピー機がまだあまり普及していない時代に、手動のタイプライターを使う上でなくてはならなかったのが、このカーボン紙です。

英字記者時代には、カーボン紙を1枚か2枚挟んで原稿のコピーを取り、一部は必ず自分用に取っておき、編集者が手を入れた後の校正刷りと比較して、どこが直されたのかをチェックするのに必要でした。でも、気をつけないと手が真っ黒になってしまったものです。

　カーボン紙は、手動のタイプライターが電動タイプライターやワープロ、またパソコンに取って代わられたことにともなって姿を消したのですが、かろうじてわずかに残っているのはccという略語です。

　カーボン紙で控えを取った紙のことを、「カーボン紙による写し」の意味でcarbon copyと言いました。ccはその略ですが、電子メールでは「同文の写し」を意味します。carbon-copyとハイフンを入れて「同文を送信する」という意味の動詞としても用います（ccを動詞として使う場合、その過去形や現在進行形は、他の略語の動詞用法からの類推でcc'd, cc'ingとするのが一般的です）。

　1987年から始めたNHKラジオのビジネス英語の番組では、テキストに「アメリカ英語・言葉の語感」やWord Watchなどのコラムを設け、辞書にはまだ載っていない新語などの解説をしてきましたが、その中にはcouch potatoのようにもうすでに死語になり一般の人の語彙から消えてしまった語もたくさんあります。

　生活様式の変化によってなくなったものや、時代の変化によって違う意味に形を変えて生き残ったものな

どもあります。ここではそうした特徴のある死語・新語を取り上げてみたいと思います。

---

## ドラッグカルチャーから

---

　1960年代のアメリカで drug culture が顕著な社会現象となり、それまで一般的に使われてきた bud, grass, herb, weed といった植物に関連した語や pot, joint, smoke, ice, chalk, sugar といったごく普通の一般名詞が、marijuana などのドラッグを意味する俗語や隠語として使われるようになりました。

　ドラッグを意味する俗語は、ちょっと調べただけで数百もありますが、そこから派生して、現在では普通の語句として使われているものもいくつかあります。

　be high は、麻薬で陶酔状態にあるということですが、一般的に感情や気分が高揚したさま、いわゆる「ハイな気分」についても言うようになりました。

　また high を名詞として使って、ランニングをする人が「ハイな気分」になることを runner's high などと言います。

　spacey［spacy］という形容詞は、もともと「スペースのある」「広い」ということですが、俗語では LSD などの hallucinogens（幻覚剤）を飲んだ時の「宇宙を飛んでいるような感じ」（as if flying through space）から「（麻薬や疲労などで）ぼうっとしたり、酔ったよ

うな状況」を意味しました。特に電子音楽などが、気持ちをゆったりさせ、夢感覚にさせるような状況についても使われます。

1970年代になって、spaced-outあるいは単にspacedが「薬物を服用してぼうっとしたり、酔ったような状況」（state of being dazed or intoxicated by a drug）という意味で使われるようになりました。

またspace caseは、そうした意味の延長として、ぼうっとした人あるいはそうした状態のことです。

ego tripは名詞、動詞として使われますが、「独りよがり（に振る舞う）」「うぬぼれ（る）」「利己的な行為（をする）」ということですが、これもドラッグカルチャーから生まれた造語です。

egoは「自我」のことですが、それに「ドラッグによる幻覚体験」を意味するtripを合わせたものです。

---

### リストラ用語

---

「リストラ」というのは、「（企業の）再編成、再構築」を意味するrestructuringから来た言葉です。

restructuringは、人員に限らず企業の部署の統合や工場の閉鎖なども含みます。本来は事業規模や従業員数の増減を問わず、「組織の再構築」が行われることに対して使われる言葉でした。しかし組織再構築の実施による不採算事業の撤退や、部署の縮小に伴う従

業員解雇（整理解雇）が行われることが多かったため、日本では主に従業員削減を意味することになったものです。

restructureは組織などに対して使われ、人については使われないので、英語ではI was restructured. とは言いません。be terminated, be dismissed, be discharged, be given the pink slipなどが使われます。口語表現としては、I was canned［fired, sacked, axed, let go］. などと言います。

これらは「会社都合での離職」を意味しますが、「自己都合での退職」はresignが一般的です。口語としてはquitも使います。

私がかつて勤務していたあるアメリカ企業では、月間報告書に退職者のリストが載りますが、その後にRかTが付いていました。Rはresigned（辞任）、Tはterminated（解雇）の印です。

layoff［lay off］も「解雇（する）」ということですが、本来は、企業の業績が悪化した際に、雇用調整のために一時的に人員を削減するという意味でした。しかしいつ再雇用が可能かどうか不透明な場合には、「会社都合での離職」ということになります。

downsizingは、燃費を向上させるために自動車を小型化するという意味で、1970年代にアメリカの自動車業界で使われていた言葉だったのですが、80年代に入って「人減らし」「人員削減」を意味する最も代表

的な婉曲語として使われるようになりました。普通の言葉でいえば staff cutback です。

日本語の「人員整理」や「合理化」も一種の婉曲語ですが、英語にもいろいろな表現方法があります。たとえば、「再び」を意味する接頭語の re- を使った resizing（規模調整）、realignment（再調整）、retrenchment（削減、縮小）や、「否定」の意味の de- を使った delayering（職層の減少）、demassing（減量化）など。

また、redundancy elimination（冗員の削除）、reduction in force という言葉も使われました。後者はもともと軍隊における「兵力削減」という意味で、その略語は RIF ですが、そこから小文字で rif として「解雇する」「一時帰休させる」という意味の動詞として使われるようになっています。I was riffed. などと使います。

より肯定的な響きのある rightsizing（企業規模適正化）や streamlining（合理化）も用いられました。

現代では、downsizing は退職などにともなって「ライフスタイルを簡素化する」（downsize one's lifestyle）という意味でも使われます。つまり大きな一軒家から condominium に移ったり、数台保有していた自動車を1台にしたり、会員になっていた社交クラブから退会したりしてシンプルな生活スタイルを選ぶことです。

## パンデミックから生まれた言葉

　2020年の年明けから始まった新型コロナウイルスの感染は地球規模で広がり、わずか数か月で世界は一変しました。日本をはじめ多くの国が緊急事態宣言や非常事態宣言を発出し、世界中で都市封鎖措置や外出禁止令が出されたのです。まさに「戦時体制」の様相を帯びてきました。

　感染者が全米で最も多く出たニューヨーク州のアンドリュー・クオモ（Andrew Cuomo）知事（当時）は、人工呼吸装置（ventilator）を戦いにおける「ミサイル」にたとえ、それが足りないことを訴えました。フランスのマクロン大統領も「戦争」という意味のフランス語のguerreという言葉を何度も使い、「これは戦争です」と国民に向けたテレビ演説をしたのです。

　クオモ知事はニューヨーク郊外のニューロシェル（New Rochelle）でクラスターが発生した時に、その地域をcontainment zoneにすると発表しました。ウイルスをその地域だけに封じ込めるという意味で使ったのでしょう。contain（封じ込める）は、「東西冷戦」の時代を象徴するキーワードの1つです。ベトナム戦争の際にもcontainment policyは、「封じ込め政策」という意味でよく使われました。

　ニューヨークはhot spotやhot zoneになりました。いずれも従来は「紛争地帯」や「被爆地」ということ

で、「紛争などが起こっている危険な場所」といった意味で用いられることが多かったのが、最近は「コロナの感染者が多発している危険な地域」という意味で使われています。

また、epicenter もこれまでは「地震の震源地」という意味でしたが、パンデミックが始まってからは、コロナのクラスターが発生する「感染集積地」という意味で主に使われています。

アメリカのいくつかの州政府は、shelter-in-place warning を発令しました。「屋内退避勧告」などと訳されていますが、もともとは、核戦争などにおいて放射性物質や化学物質が大気中に放出されたことが想定される非常時に「外に出るのではなく、屋内に留まって身を守るように」との警告です。

「夜間の外出禁止令」が出た国では、martial law や curfew といった言葉が使われています。前者は戦時あるいはそれに準じる非常事態に際して発令される「戒厳令」のこと、後者は「（戒厳令下・戦時下などの）夜間外出禁止令」を意味します。

essential worker という言葉を初めて目にした方も多かったのではないでしょうか。これは「社会を維持するために欠くことができない仕事に就いている人」の意味で、医療、介護、物流、警察・消防・ゴミ収集などの公共サービス、交通機関といった、私たちの生活を直接的に支えるライフライン関連の仕事に従事す

る人たちのことです（イギリスではkey workerと呼ばれるようです）。

　新型コロナウイルスの発生により頻繁にメディアに登場することになったのはsocial distancingです。

　social distancingとは、感染症拡大防止の観点から、人と人との間に安全な距離を保つこと（keeping a safe distance between people）で、「社会的隔離、社会的距離の確保」などとも訳されているようです。具体的な距離は、アメリカのCDC（疾病管理予防センター）では「6フィート（約1.8メートル）」としていますが、WHO（World Health Organization, 世界保健機関）は少なくとも1メートルの距離を取ることを勧告しています。日本では2メートルが目安です。

　日本語では「ソーシャルディスタンス」という言葉が使われますが、英語ではsocial distanceは、「出身階層・人種・性別に関連して、他の人との間に心理的な距離を置くこと」を指す、まったく別の概念です。この2つは混同されることもよくあるようですが、重要なのは、心理的・社会的な距離ではなく、物理的な距離を保つこと。そのことを明確にするために、WHOはphysical distancingを使うことを奨励しています。

　日本では、厚生労働省が中心となって「3つの『密』を避けよう」をテーマにして、「密閉」「密集」「密接」を避けることを呼びかけていますが、英語版では「3つのCを避けよう」（Avoid the "Three Cs"）としてい

ます。3つのCとはClosed spaces, Crowded places, Close-contact settingsのことです。

2020年の春ごろからトランプ大統領などが、ventilatorが足りないことを記者会見などでしきりに訴えていました。最初は「なぜ換気装置がそんなに重要なのだろうか」と疑問に思ったのですが、辞書を引いてみて、ventilatorには医学用語として「人工呼吸装置」の意味があることを初めて知りました。

もしコロナの状況が、今後もずっと続くようであれば、医学用語としてのventilatorのほうが一般的によく知られるようになるかもしれません。

そして、皮肉にもpositiveという言葉がnegativeな意味をもつようになってしまいました。positiveが「積極的な」「前向きな」ではなく、「（PCR検査などにおける）陽性の」という意味で使われるほうがずっと多くなってきたからです。かつては落ち込んでいる人や弱気な人にBe positive! などと声をかけていたのが、そのように言うのはもはやあまりいい激励の表現ではなくなってしまいました。

## 多くの略語も

このところ世界中で最も広く認識された略語といえば、COVID-19でしょう。単にcovidとも呼びますが、WHOがcoronavirus disease 2019から命名して、2020

年2月に発表しました。感染が大きく拡大したのは2020年に入ってからですが、2019年に最初に中国で確認されたので-19となったものです。

それから1か月後の3月にWHOは、中国を中心に新型コロナウイルスの感染が世界的に拡大しているので、もはやepidemic（比較的広い地域ではあるが、限定された国・地域での感染症の拡大）ではなくpandemic（感染症の世界的な拡大）が起きているとの認識を示しました。

coronavirusは1968年の造語です。2020年になるまで医療以外の場面ではあまり使われることはありませんでしたが、現在では最も頻繁に使われる英語の名詞の1つとなっています。

他にもいくつかの略語を頻繁に目にするようになりました。CDCもよくマスコミに登場しましたが、これは本部をジョージア州アトランタに置くCenters for Disease Control and Prevention（疾病管理予防センター）のことです。

もう1つは、work［working］from homeを略したWFHです。これは2020年にOEDやMerriam-Websterなどの辞書にupdateとして加えられました。OEDによれば、working from homeは1995年から使われてきたそうですが、略語のWFHは、在宅勤務が一般化するまではほとんど知られていなかったとのことです。WFHは1995年には名詞として、2001年からは動詞と

して（first attested as a noun in 1995 and as a verb in 2001）使われるようになった、とあります。

　略語が動詞として使われるのは比較的珍しいのですが、WFHの場合はアルファベットどおりに発音して、I WFH four days a week, avoiding rush-hour traffic. / I WFH on Fridays during the summer. / I'm not feeling well, so I'll WFH today.などのように使います。

　WFHほど一般的ではありませんが、主にソーシャルメディアやテキストメッセージなどで用いられるOOOという略語もあります。これはout of officeの略で、「遠隔勤務」だけでなく、ただ単に「不在」という意味でも使います。

　もう1つよく目にする略語のPPEは、personal protective［protection］equipment（個人用防護具）の略です。これは、医療現場において危険な病原体から医療従事者を守るためのもので、医療用のcoveralls, gloves, gowns, masks, face shields, gogglesなどを指します。

　OEDのブログによれば、こちらの略語は1997年から使われていたそうですが、当時は医療関係者だけが使っていたもので、一般化したのはやはり2020年になってからです。略語でないpersonal protective equipmentのほうは1934年から使われていたようです。

　毎年、秋から年明け早々にかけて、英米の教育機関や大手辞書出版社などがWord of the Yearを発表しま

すが、その先陣を切ってイギリスの *Collins Dictionary* が2020年11月に発表した「今年の言葉」はlockdownでした。

ロックダウンはもともと刑務所用語から派生した単語で、騒ぎを起こした受刑者を監房に閉じ込めるという意味で使われていたといいます。また近年では銃をもった不審者などが学校に侵入した場合の「学校封鎖」という意味でも使われました。

2020年からは、ほとんどの人にとってロックダウンは公衆衛生上の対策の意味になったのです。

lockdownは「都市封鎖」とか「移動制限」などと訳されていますが、あまりにもインパクトが強いので、shutdownやself-quarantine（自己隔離）といった語も使われています。

Collinsに続きOEDやMerriam-Websterなどが、それぞれのWord of the Yearを発表、と思われていたのですが、OEDは2020年のWordは1つに絞りきれなかったとのことで、代わりにいくつかのパンデミック関連用語を発表しました。これは初めてのことです。

その中に入っていた新語がBlursdayです。blurは「ぼやけた」「かすんだ」という意味ですが、曜日の感覚があやふやになった日という意味の新語。リモートワークだと、週日と週末の境がはっきりせず、曜日の感覚そのものも怪しくなっていることを表します。

## 普通名詞の新しい意味

bubbleはもともと「泡の立つ音」からできた擬音語で、「泡」「あぶく」の意味です。そこから泡のように消えやすく不確実なものを指します。「バブル崩壊」（bubble burst）とは、「よい状態が突然崩壊する」ことです。

またバブルはbubble economy（バブル経済）の略でもあります。bubble boom（バブル景気）とは、投機によって生ずる、実態経済とかけはなれた相場や景気のことです。日本では1980年代後半から90年代初頭にかけて起こった地価・株価の高騰を指します。ブームはやがて「バブル崩壊」に至りました。

いずれにしてもあまりいい意味には使われてこなかったのですが、パンデミックの最中に「外部と遮断された状態」の意味で使われるようにもなりました。主にsocial bubbleやtravel bubbleという使い方です。

social bubbleとは、自主隔離などによって家族や友人などの一定人数のグループで同じ空間に滞在し、感染のリスクをそのグループ内のみに留めようというものです。

地理的・社会的・経済的に結び付きが強い国や地域どうしが1つのバブルに包まれていると見なし、新型コロナウイルスに対する感染防止策を講じた上でほぼ自由に往来することを可能にする取り組みのことを

travel bubbleと呼びます。香港とシンガポールおよびバルト3国などがそうした考え方を打ち出したのですが、いずれも内部にコロナが発生し、完全なバブルはできませんでした。

「バブル方式」という呼び方は東京オリンピック中によく耳にしました。オリンピック村を1つのバブルとし、選手のほかコーチ、メディア関係者などに対しては大会期間中、外部との接触を禁じ、大会を通じて「感染ゼロ」を目指すものでしたが、こちらも感染を完全に排除することはできませんでした。

long haulerとは「長距離」を意味するlong haulに「人」の意の接尾辞のerを付けた「長距離トラック運転手」のことですが、最近は「新型コロナウイルスの後遺症に長く苦しむ人」という意味でも使われるようになっています。

通常は少なくとも数年かかると言われていたワクチンの開発が数か月で完成したのですが、新型コロナについてはわからないことがまだ数多くあります。陽性と診断され、重症化しICUに入って治療を受け、回復したように見えても、ひどい後遺症に長く苦しむ人が多くいるようです。そうした症状はlong-haul COVID-19とかlong covidなどと呼ばれます。

これまでにコロナ後遺症としてよく言われたのは、倦怠感や嗅覚障害、息切れなどでしたが、これらに加えて最近クローズアップされるようになった新たな症

状がbrain fogです。これは、「頭に霧がかかったようにぼんやりしてしまう」状態ですが、主に重症患者に起こり、コロナからの回復後も長期にわたって後遺症として残る場合があり、世界中で研究が進められています。

breakthroughは、軍事用語としては「突破作戦」ということですが、「科学技術などにおける飛躍的な進歩」「大躍進」「打開」などのポジティブな意味で使われています。しかしbreakthrough infectionは「ブレークスルー感染」のことです。それは「2回目のワクチン接種を受けてから、（十分な免疫ができると考えられている）2週間後以降に、新型コロナウイルスに感染すること」という意味です。文字通り、ワクチンの網を突破して感染してしまうことを指します。

## 加速化した代替食品の開発

大豆や豆腐などの植物性素材で肉の代替品（meat alternative）を作る動きは、新型コロナウイルスの感染拡大（outbreak）により2020年になって急速に進みました。

その年の春に、アメリカの食肉加工工場でコロナの集団感染（cluster）が発生し、精肉の供給がストップしました。お客の肉の購入を制限するスーパーマーケットや、ハンバーガーを販売できない外食店が続出し、

トランプ大統領が生産継続を求める大統領令を出す事態にまで発展したのです。

そこでplant-based meat（植物由来の肉、植物肉）の開発が一気に進み、植物からまったく新しい味を作り出すことが可能になってきました。キャベツとパイナップルから、機械学習ツールを用いてAIが開発した「植物由来のミルク」もあります。

若い世代を中心としたベジタリアン人口、ビーガン人口の増加は、以前は宗教や動物愛護が動機の人の増加によるところが大きかったのですが、近年は健康や美容といった理由から、あるいは畜産業がもたらす地球温暖化を少しでも食い止めたいといったエコロジーの観点から、肉食を避ける人が世界的に急増したためとも言われます。

ロックダウンや緊急事態宣言などで運動不足になり、健康を気にする人も増えました。「週1日は肉を食べるのをやめよう」というMeat-Free Monday運動も広がっています。

2020年から、多くのファーストフード・チェーンが植物由来の肉をメニューに加えました。日本でもMcDonald's、Burger Kingそれにモスバーガーでも、主要原材料に動物性食品を使わず、野菜と穀類を主原料に作ったハンバーガーが食べられます。

また新型コロナウイルスの影響で、レストランでの食事が減少したことから広がったghost kitchenや

ghost restaurant と呼ばれる形式もアメリカで始まり日本にも波及してきました。これは食事用のテーブルを設けない飲食業の形態で、キッチンを構え、主にデリバリーのみを受け付けて配達するものです。1か所のキッチンでいくつかのレストランの料理を調理し、提供することもあります。

---

## インターネット用語の変化

---

　英語はインターネット上で最も多く使用されている言語ですが、インターネットの普及により、近年、英語そのものも変化してきました。デジタル時代に新しい意味や用法を得たいくつかの語を紹介しましょう。

　その代表的なものの1つが、Like（日本語では「いいね」）です。「好む」という動詞としてのlikeは9世紀から、likes and dislikesといった名詞としてのlikeは15世紀から使われているそうですが、現代ではSNSやブログなどへの書き込み（posting）に対する賛同や承認、あるいは感謝の意思表示のためにLike buttonが使われています。

　linkも従来は「連結」「（鎖の）輪」を表す語ですが、インターネット上ではhyperlinkやURLとも呼ばれ、そこをクリックするとウェブ上の他のサイトに飛ぶことができるものです。

　addressは「住所」ですが、インターネット用語で

は物理的に「住んでいるところ」という意味ではなく、email address, web address, IP addressといったようにバーチャルな場所を表す語として使われます。

　surfは「サーフィンをする」ですが、1980年代ごろから、テレビのチャンネルをくるくる回すことをchannel-surfingと呼ぶようになり、そこからの類推で1990年代初めからはnetsurfing（ネットサーフィン）も使われるようになりました。

　friendという語は17世紀以降もっぱら名詞として使われてきました。実際、「…の友となる」「（困っている人の）友人として行動する」といった動詞としての意味をfriendの項に掲載している少数の辞書も、［廃］［古］［詩］といった注付きで、この用法が現代ではあまり一般的でないことを示しています。

　しかし最近は、英米のマスメディアでfriendが動詞として使われている例をかなり目にするようになりました。"friend"と引用符付きで使われていて、通常のfriendとは用法が少し異なることを表している場合もあります。

　オンライン辞書のUrban Dictionaryには、add to the list of friends in a social networking service（SNS上でfriendリストに加える）という動詞の「定義」も書き込まれています。その反対の「friendリストから削除する（to remove someone as a "friend" on a social networking site）」は、*New Oxford American*

*Dictionary* が選んだ2009年の Word of the Year の unfriend です。un- はここでは「動詞につけてその逆の動作・行為を表す接頭辞」です。

　そもそも今日では、オンライン上でコミュニケーションを取っている friend の数は飛躍的に増えました。でも、ソーシャルメディア上の friend は、現実の世界の friend とはちょっと意味合いが違います。SNS で知り合った friend は住所や年齢、職業だけでなく、性別や本名を知らない場合もあるからです。そして、簡単に unfriend することもできます。

　もともとはネット用語から今では新聞の記事などにもカッコ書きの説明なしに使われるのは BFF や KOF です。BFF は best friends forever（永遠の親友）、KOF は kind of friends（友達のような人たち、ある種の友人たち）のことです。FAQ（frequently asked questions）や Q&A（questions and answers）、M&A（mergers and acquisitions）などと同じように、本来それだけで複数の概念を表す語です。

　しかし略語が複数形を表すというのはこれまであまりなかったので、FAQs とか Qs&As, Q&As のような形も目にすることがあります。There were many M&A this year. も文法的に間違いではないのですが、many M&A というのはどうも座りが悪いので、many M&A cases などとするのがよいともされてきました。

　他方において今はやりの SDGs は Sustainable

Development Goals（持続可能な開発目標）のことですが、これならば複数形ということが明白です。

## 普通名詞を動詞として使う

friend以外にも従来の普通名詞を動詞として使う傾向が、近年、特にアメリカ英語において顕著です。contact, impact, interfaceといったもともと名詞として使われてきた語も、今では辞書に動詞としての用法が収められています。しかし、traditional grammarで教育を受けてきた世代にはおおむね不評です。

impactは「インパクトを与える」という意味の動詞の場合、第2音節にアクセントを置いて発音します。「この用法を嫌う人も多い」と表記している辞書もあり、make［have］an impact onのように使うのがより一般的です。

interfaceはコンピュータ用語の名詞として使われていたのですが、最近は「橋渡し役をする」から「会う」まで広い意味をもつ動詞としても使われています。

特にアメリカ英語では、普通名詞だけでなく、固有名詞までも動詞として使う傾向があります。なかでも最も広く使われる固有名詞由来の動詞はgoogleかもしれません。これは検索エンジンのGoogleを使って検索すること、そこからインターネット上で何かを検索することを意味します。ネットスラングとして広く使わ

れ始めたのは2001年ごろからだと言われますが、日本語でも「ググる」と用いられています。

　また、短期間に固有名が普通名詞・動詞として使われるようになった例にZoomがあります。これはカリフォルニア州に本社を置くZoom Video Communications, Inc. が提供するvideo teleconferencing software program を使用したウェブ会議サービスの名称ですが、現在ではZoom meeting（あるいは単にZoom、あるいは小文字にしてzoom）と名詞的用法にも使います。

　また、同社のソフトウェアに限らず一般的に「オンライン会議に参加する」という意味の動詞としてもよく使われます。

　Merriam-Websterの辞書には … last week I Zoomed with friends in Ireland that I hadn't talked to in years.（先週、私はもう何年も話をしたことがなかったアイルランドの友人たちとズーム会議を行った）といった例文も載っています。

　他にも、コピー機のメーカーのXerox社や小口貨物運送会社のFederal Express（FedEx）社などの社名が、そのまま動詞として、それぞれ「書類をコピーする」「宅配便で送る」という意味で使われています。

　通常mouseは「ハツカネズミ」「小ネズミ」のことですが、コンピュータの入力装置の1つです。通常の意味のmouseの複数形はmiceですが、コンピュータに関連しての意味ではmousesも用います。

hard copyとは印刷物として出力されたデータのことですが、それに対して、磁気データを意味するsoft copyという語が1960年代終わり近くにできました。

bugは「昆虫」のことですが、機械やコンピュータプログラムなどの「欠陥」「故障」も意味するようになり、日本語でも「バグ」と言います。

## ウイルスと津波

viralはvirus（ウイルス）の形容詞形で、viral infectionといえば「ウイルスによる感染」のことですが、internet cultureにおける流行語（buzzword）にgo viralがあります。「（情報や画像などが、ウイルスに感染したように）急速にインターネット上に広まる、拡散する」という意味で使われ、そうした情報や画像などはviral post, viral video, viral photoなどと呼ばれます。

これらはいずれも、viral marketing（口コミを利用し、低コストで短期間に顧客の獲得を図るマーケティング手法）から生まれた言葉です。

*MIT Technology Review*の2020年5月17日号には、Maybe it's time to retire the idea of "going viral"という見出しの記事が掲載されています。COVID-19により、世界中で何百万もの人たちが実際のウイルスによって命を落としている時に、viralをそうした比喩的な

意味で使うのはやめよう、という趣旨です。

　この記事で思い出したのはtsunamiのことです。tsunamiは19世紀末ごろに日本語から英語の語彙に入りました。英米の辞書にもa great sea wave produced esp. by submarine earth movement or volcanic eruption: tidal waveなどといった定義とともに収録されていますが、これは世界で最もよく知られている日本語の1つです。

　2008年に世界的な金融危機が起こったあたりから、financial tsunamiなどと使われることも多くなってきました。サブプライムローン問題に端を発した世界的な「金融破綻」（financial meltdown）の意味です。

　しかし2011年3月11日に発生した東日本大震災の大津波と火災によって膨大な数の犠牲者が出てからは、実際の自然現象としての「津波」以外にtsunamiを使うのはやめようではないかという動きが、アメリカのマスコミを中心にありました。

　こうした動きはもう忘れられてしまったのでしょうか。最近はsilver tsunamiやgray tsunamiなどと使われているのを、英米のマスメディアで目にします。世界中で「急増する高齢者」を指しますが、「無神経な用法である」と眉をひそめる人もいるようです。

　WHO（世界保健機関）のテドロス事務局長は2021年暮れの記者会見で、「デルタ株とオミクロン株が二重の脅威（twin threats）となり、患者数や入院、死亡

者数の急増（spikes in hospitalizations and deaths）につながっている」と警告を発しました。各国では感染スピードが速いオミクロン株だけでなく、重症化しやすいとされるデルタ株の流行も続いているとして、こうした同時流行を「感染例の津波」（a tsunami of cases）と表現し懸念を示しました。

　そのことを報じた「ニューヨークタイムズ」の記事の見出しはW.H.O. Warns of a 'Tsunami' of Delta and Omicron Infectionsとなっていました（2021年12月29日）。記事の中ではtsunamiという語が複数回使われています。人によって反応は異なるかもしれませんが、私としてはこうした場合のtsunamiの用法にどうしても違和感を覚えてしまいます。

　新型コロナウイルスが猛威を振るうようになってからは、viralという語は「ウイルスの」という本来の意味で使われることのほうが多くなっているようですが、今後、viralやtsunamiといった語の意味や用法はどのように変化していくのでしょうか。見守っていきたいところです。

## インターネット以前と以後

　現代用語の中には、従来の普通名詞がこれまでとは違う意味で使われるようになったものが数多く見受けられます。インターネット以前と以後で大きく意味が

違ってきた代表的な単語を検証してみましょう。

最も大きく異なる意味で使われるようになってきた単語の1つは、形容詞のdisruptiveではないかと思います。動詞のdisruptは「〈出来事・活動の進行〉を混乱［中断、途絶］させる」「〈制度・国家など〉を粉砕する、崩壊させる」（『ジーニアス英和辞典　第5版』）といった、やや否定的な意味をもっています。

しかし、現代のbuzzwordとなっているdisruptive technologyは、日本語では「破壊的技術」などと訳されますが、「物事が行われるやり方を一変させる新しい技術」（a new technology that completely changes the way things are done）のことです。

またtrafficは普通名詞としては「交通」「通行」ですが、オンライン上では「コンピュータなどの通信回線で一定時間内に転送されるデータ量」を意味します。web trafficあるいはnet trafficといえば、ウェブサイトやインターネットへのアクセス数、送受信データ量のことです。また、サイト内のページを行き来する閲覧者（visitor）の流れのことも指します。

buzzは「（ハチや機械などの）ブンブンいう音」ですが、現代の用語としては「興奮や刺激を生み出すもの」（anything that creates excitement or stimulus）のこと。口コミを積極的に用いるマーケティング手法のことはbuzz marketingと呼びます。

コンピュータ用語のhackerは「コンピュータの達

人」が本来の意味ですが、「他人のネットワークに不正に侵入して情報を盗み取ったり、プログラムを破壊したりする人」のことです。

handleはusernameとも言い、インターネット上のSNSや電子掲示板（BBS）などで使う名前、ニックネーム、ハンドル名のこと。英語ではhandle 1語でこの意味になり、「ハンドルネーム」という表現は和製英語です。

---

### 受動的攻撃行動

---

最近よく目にするbuzzwordのひとつにpassive-aggressiveがあります。passive-aggressive behaviorなどと使われます。これはpassive（受動的、消極的）と、aggressive（攻撃的、積極的）という正反対の言葉をひとつに結び付けた「受動的攻撃行動」という意味の新語です。怒りを直接的には表現せず、沈黙する、ふくれる、すねるなどの受動的方法で不服従などの抵抗を示したり、相手を困らせるなどの攻撃的行動のことです。

majority-minority areaとは、「人口のmajority（大多数）がminority（少数派）で形成されている地域」のこと。

minorityとは「（1国内の）少数集団［人種・民族・宗教・文化的背景を異にする人々］」を表す言葉

で、特に白人以外の人種を指しますが、女性を含めることもあります。しかし、人口の半数は女性であり、白人も少数派になりつつある中で、minorityの定義も流動的です。

カリフォルニア州などにおいてアジア系移民が最大の住民集団となっている地域を、minority-majority areaなどと呼ぶことがあります。

このように矛盾していることばを並べた語句はoxymoron（撞着語法、矛盾語法）と呼ばれます。イディオム化して矛盾に気づかず使っていることが多いのですが、bittersweet（ほろ苦い）、open secret（公然の秘密）、living death（生き地獄）、jumbo shrimp（ジャンボサイズの小エビ）などがあります。

pet peeveは「腹の立つこと」「大嫌いなもの」の意ですが、petは形容詞で「お気に入りの」、peeveは「じらすもの」「いらだち」という意味の名詞から成っています。

シェイクスピア劇の『ロミオとジュリエット』（*Romeo and Juliet*）に出てくる有名なせりふParting is such sweet sorrow.（別れはとても甘く切ないもの）にも、sweet と sorrow というほぼ反対の意味の語が使われています。

## 「やばい」言葉

英語には1語で正反対の意味をもつ語もあります。そうした語をcontronymと呼びます。contra-は「逆」「反対」を意味する接頭辞で、それに「語」を表すonymをつけた合成語です。

日本語でも、「やばい」は「危ない」ということで、望ましくないことについて言うことが多かったのですが、近年、若者たちがポジティブな意味で用いる傾向もあります。一種の感動詞のようにも使うようです。

近年最もよく使われるようになったcontronymの1つはscanかもしれません。scanには「詳しく調べる」「じっくり見る」のほかに「走り読みする」という反対の意味があります（そのほかにも、スキャナーなどを使って「スキャンする」という意味でも、現代ではよく使います）。

taleは「（事実の）話」「物語」ですが、「作り話」「嘘」という意味で使うこともあります。

また、動詞のoverlookには「監視する」と「見逃す」、名詞のoversightにも「監督」と「手抜かり」「見落とし」の意味があるので、どちらの意味で使われているのかは文脈（context）によって判断するしかありません。

さらに、first-degreeは殺人などの罪状についていえば「（最も重い）第一級の」（たとえばfirst-degree murder）ですが、やけどでは「（最も軽い）第一度の」というこ

とになります。

citationには、「（勇敢な行為に対する）表彰（状）、感謝状」と「悪い行為に対する（裁判所への）出頭命令」の意味があります。

Beautiful! は「すばらしい」ということですが、皮肉として使えば「ひどい」という正反対に意味になります。

基礎単語のbadは「悪い」ということですが、アメリカの俗語やAfrican American Englishでは、正反対の「一流の」「飛び抜けて優秀な」という意味でも用います（この場合の比較級、最上級はworse, worstではなくbadder, baddest）。

同様にsickには「病気の」と、俗語で「いかす」「すごい」という意味があります。awesomeやterrificなどと同じような使われ方もあるのです。

savageはもともと名詞としては「野蛮人」「野生の動物」、形容詞としては「野蛮な」「洗練されていない」「獰猛な」という意味の語です。しかし、最近ではスラングとして、awesomeと同じようないい意味で使われます。「野蛮」というニュアンスも多少残っていて、ワイルドな魅力を表して「やばい」「かっこいい」「半端ない」というほめ言葉としても使われます。

Get out of here! や Shut up! と言われても、「ここから出ていけ」「黙れ」と言われているのではなく、イントネーションによっては、ともにReally? / I can't

believe it. / You got to be kidding. という意味の若者
言葉かもしれません。

## ＃を何と読むか

電話機の上に書かれている＊という印は、日本語で
は「コメ印」などと呼びます。これは＊が漢字の
「米」の字に似ているからです。英語ではrice markと
言っても通じません。これはasteriskです。

ではもう一方の＃はどうでしょうか。こちらは「シ
ャープ記号」などとも一般には呼ばれていますが、音
楽の楽譜で使用され、半音上げる変化記号を意味する
シャープ（♯）は、五線譜から見分けるために、横線
を右上がり、縦線を垂直に書きます。電話機にある
＃は、それとは違い横線は平行線に、縦線は左に傾け
て書き、「井桁」と呼ばれますが、通信業界では「ス
クエア」とも呼ぶようです。

私の場合、原稿の一番最後に「これで終わり」とい
う意味で用いるのと、onewordなどと印刷されて出て
きたゲラにoneとwordの間に＃を入れて、「スペース
を入れて2語に分ける」という意味の校正符号として
使います。ただこうした用法を知っているのは、私と
ほぼ同年配で英語で記事を書いたり、校正をしたりし
た人たちだけでしょう。

一般的に中年以上の人はこれをpound signと呼ぶこ

とが多いかもしれません。14世紀ごろ、古代ローマで重さの記号として使われていたlibraの略号のlbに横棒を引いたものが、手書きのためだんだんと崩れて今のような形になったと言われています。通貨の単位のポンドの略号の£もlibraに由来します。

またnumber signと言う人もいるでしょう。＃1と書いてNo.1と読みます。

しかし若い人たちの圧倒的に多くはこの記号をhashtagと呼ぶでしょう。

ハッシュタグとは、ソーシャルメディアなどで＃の後にキーワードを書き、検索に使うものです。それにより同じハッシュタグがついた他の投稿を簡単に閲覧することができます。その意味で広く使われるようになったことで、hashtagは2014年にOEDに収載されました。

よく知られているのは＃MeTooで、セクハラや性的暴行の被害体験を告白・共有する際にソーシャルメディアなどで使用されます。

他にも＃TBTがあります。これはThrowback Thursdayのことで、子供時代などずっと昔の写真を投稿する時などに使います。木曜日に自分の昔の写真を投稿することが由来ですが、今では木曜日以外にも使われます。

## ジェントリフィケーションという現象

キャスターの有働由美子さんがまだNHKの「あさイチ」に出演していたころ、NHKの職員食堂で話しかけられたことがあります。

「先生の番組を聞いていて、いいことがありました」とおっしゃるので何かと思ったら、最近、サンフランシスコに行った時、現地の人が街を案内しながら「ここがgentrificationの現場です」と言ったそうです。続けて、この現象は日本にはないので、日本からいらした方はあまりご存じないのですが…と言うので、「いいえ、私は杉田敏先生のラジオ番組を聞いているのでよく知っています」と鼻が高かったと喜んでいました。

20世紀に英語の語彙に取り入れられた新語を収録した*20th Century Words*によればgentrifyという動詞が使われるようになったのは1972年で、to renovate or convert（housing, especially in an inner-city area）so that it conforms to middle-class tasteと説明があります。「（特に都市の中心市街地において、住宅を）改修、改造し中流化すること」ということです。「下層住宅地の高級化」とも訳されています。

都市の中心部にあるdowntownに「繁華街」「商業の中心地」というポジティブなイメージがあるのに対して、1960年代から使われるようになったinner-cityは同じく中心部にあっても、こちらは「人口密度が高

く通例スラム化している地域」を意味します。

　そうしたスラム地区の再生により、良好な住環境を求めて過去に郊外に離れていった若者やアーティストなどが戻ってきました。

　アメリカではジェントリフィケーションが最も顕著なのはロサンゼルス地域と言われていますが、ほかにもワシントンD.C.、ニューヨーク、フィラデルフィア、シアトル、サンフランシスコなど多くの都市でその現象が見られます。またヨーロッパではロンドン郊外やドイツ各地などでもジェントリフィケーションが起こっています。

　私は数年前にニューヨーク・ブルックリン（Brooklyn）地区にあるベッドフォード＝スタイベサント（Bedford-Stuyvesant）を訪れたことがあります。ここも典型的なジェントリフィケーション地域ですが、かつての「危険地帯」には一流のカフェやブティック、ギャラリー、ワインバーがたくさんできていて、流行に敏感な若者が集まり、洗練された街のたたずまいを呈していました。

　ジェントリフィケーションの結果、中高所得者層が流入し、その地域の地価等が上昇し犯罪率が下がるなど、治安が向上することもあります。しかし、このために家賃や税金が上がるなどして、それまで居住していた人々が暮らしていけなくなったり、それまでの地域の特性が失われたりするという問題も起きています。

今では「ジェントリフィケーション」の意味が拡大し、food gentrification といえばベトナム料理のフォーや日本のラーメンなどごくありふれた大衆料理が、高級な具材などを使って高級品として高い値段が付けられるようになっているトレンドを意味するというように、食べ物についても使われるようになってきました。

最近では climate gentrification という言葉も目にします。世界的な climate change（気候変動）による海面上昇を恐れる上層階級の人々が、眺望のいい海浜地域を離れ、高台の安い物件を求めるようになり、その結果、その地域の地価の上昇、犯罪率の低下という、従来のジェントリフィケーションと似たような状況が発生しているということです。特に顕著なのはフロリダ州のマイアミ地区と言われます。

また super-gentrification という語も使われるようになってきました。上流あるいは中流階級の住む地域に超富裕層が移り住むことによって、そこの地価が上がり、街並みが整理され超上流住宅地に生まれ変わり、それまでそこに住んでいた中流階級層が追い出されることです。

---

## 婉曲語

直接的な表現をせずに、ものごとを丁寧に遠回しに言うことを「婉曲」と言いますが、日本語にも英語に

もたくさんあります。

　たとえば、日本語では「アダルト」は「アダルトビデオ」「アダルト英語」などのように、「ポルノ」の婉曲語として使われることがありますが、これは和製英語ではなく、れっきとした英語用法です。

　*New Words — A Dictionary of Neologisms since 1960*によれば、adultは1972年あたりからそうした意味でも使われ出したようで、a euphemism for pornographic; thus adult bookstore, adult cinema, etc. とあります。

　「失業中」というのは、婉曲的にbetween jobsと言います。次が見つかるまでの仕事と仕事の合間、といった感じです。out of work も「失業中で」「職にあぶれて」ということです。

　「自分探しの旅に出る」(embark on a journey of self-discovery) というのも「定職につかないこと」を意味する日英共通の婉曲表現です。

　他にも、「失業」を意味する普通の語句としては unemployed, jobless, free, available, at liberty, at leisure などがあります。

　「中古」のことはかつては「セコハン」などとも言いましたが、これはsecondhandからきています。婉曲語として、1960年代の中ごろからアメリカの中古車 (used car) を扱うディーラーがpreviously ownedあるいは短縮して pre-ownedを使うようになりました。

「古本」のことは普通、used book, secondhand book と呼びます。中古品の広告には、like-new（新品同様の）もよく見られるようです。

---

## 「高齢者」を意味する婉曲語

---

　日本は世界で最も高齢化が進んだ国ですが、アメリカ社会も急速に高齢化が進んでいます。しかし多くの人が「年寄り」というレッテルを貼られたくはないと思っているので、「婉曲語」の扱いも非常に微妙です。「高齢者」「年配者」を意味する一般的な名詞・形容詞としてはseniorがあります。「老人ホーム」のことはアメリカではsenior citizens' homeと呼びます。

　しかしワシントンに本部を置くNGOのAARP（旧称はAmerican Association of Retired Persons）は、「senior citizenという呼び名は軽蔑的ではないにしてもステレオタイプなので、われわれは避けるようにしている」（... we try to avoid *senior citizens*, which, if not pejorative, is stereotyping.）として、olderやmatureという語の方を取るとしているのです（We prefer *older Americans* or *mature Americans*.）。

　「老後」の意味のgolden yearsから、golden-agerという語も使われてきました。日本語では「シルバー・エイジ」などと言いますが、英語では老後の色は「金色」のようです。この語は1961年の造語ですが、これ

に関しても、「多少古風な表現」と敬遠する人たちがいるのも事実です。

oldster も「年配者（の）」「お年寄り（の）」を意味する名詞・形容詞として使われます。この言葉はyoungster（若者）からの類推で生まれたのですが、ほかの -ster という接尾辞をもった語は、gangster（ギャング）、fraudster（詐欺師）、whipster（生意気な若造、青二才）などのように多少侮蔑の意を含んでいるところから、人によっては否定的な響きのある言葉と受け取られることもあるので、注意が必要です。

形容詞としては、一般的に senior のほかに mature や seasoned, mellow, mellowed などが使われます。

中年およびそれ以降の女性を表す言い方として女性自身が好む表現は of a certain age で a lady of a certain age のように用います。男性に関しては mature（円熟した）という語が好まれるようです。

the old, the aged, the elderly, the longer living などは集合的に「高齢者」を意味します。しかし、*A Dictionary of Contemporary American Usage* では、The old and the aged are sad terms, but at least they have dignity. と、the old, the aged は「悲しい言葉だが少なくとも威厳はある」としています。

また、elder はいいけれど elderly は嫌だ、という人もいます。そこで elderly を辞書で引いてみると、「元来 old, aged の遠回し［ていねい］な表現だが、時に失礼

に響く」(『ジーニアス英和辞典　第5版』)、「《婉曲》(かなり) 年配の、初老の」(研究社『新英和大辞典　第6版』)、「現在は senior citizens の方が好まれる」(旺文社『オーレックス英和辞典　第2版』) などと、説明はまちまちです。

　つまり「高齢者」を意味する婉曲語として広く認知されているものはないようです。そこで「APスタイルブック」を開いてみると、older adult(s), older person / people という項目のところに、Preferred over *senior citizens, seniors or elderly* as a general term when appropriate and relevant. とあり、older のほうが senior や elderly よりも好ましいとしています。

　elderly はスペースの制約のある見出しでは受け入れられる (acceptable) としています。そして senior citizen や elderly は、そう言われる本人がその方を望む場合はそれでもよし、ということです。

---

### 便所から化粧室まで

---

　婉曲語法とは、ものごとを遠回しに言うこと、不快感を与えるようなことを間接的にぼかして表現することなので、婉曲語が最も多いのは「トイレ」や「死」「性」に関してだと言われます。

　ある時、アメリカから来た女性旅行者と話をしていたら、May I go to the benjo? と言うので、ちょっと

驚いて、「それはもうあまり使わない日本語ですが、どこで覚えたの」と尋ねると、アメリカを出発する前に日本人のガイドから、「日本でbathroomに行きたくなって、どうしても場所がわからない場合には、大きな声でBenjo! と叫べば、誰かが助けてくれる」とアドバイスされたと言うのです。

ずいぶん乱暴なアドバイスですが、「ベンジョ」は楽器のbanjoと発音が似ているところから、外国人は直ぐに覚えてしまうようです。その語は現代ではあまり丁寧な言葉ではないことを説明してあげたことがあります。

日本語では「便所」の古い婉曲語としては「厠」「雪隠」「はばかり」などがありますが、現代では「お手洗い」とか「化粧室」などが一般的です。

英語の婉曲語としてはbathroomがよく使われます。トイレに行くはgo to the bathroomです。bathroomはもともと「浴室」のことですが、個人住宅の場合は浴室に便器と洗面台が備わっていることが多いので、こう言います。デパートや劇場などの公共の建物にあるトイレもそう呼ぶこともありますが、アメリカではrestroomやwashroomが一般的です。

イギリス英語ではlavatory, WCなどが使われます。WCはwater closetの略で、イギリスの街角にある公衆トイレにはこう表示されていますが、街頭表示や家の見取り図以外にはもうあまり使われなくなっている

ようです。

イギリスの俗語では、looという語もよく耳にしますが、イギリス人以外は使わないほうがいいとも言われます。

lavatoryはアメリカではあまり使いませんが、航空機内のトイレの表示は国際的にこの語が表示されています。toiletはイギリス英語では問題ないのですが、アメリカでは婉曲語とはみなされないことが多いので、気を付けたほうがいいでしょう。

men's roomは「男性用トイレ」を意味する最も一般的なアメリカ英語です。俗語ではjohnも使われます。女性用トイレはwomen's room, ladies' room, powder roomなどと言います。

トイレに行きたいという場合には、Where can I wash my hands?とか、May I use your bathroom?ですが、女性の場合にはI'd like to powder my nose.などとも言います。

最近はビルの中に「化粧室」という表示も増えてきたような気がします。「女性用化粧室」はいいのですが、その横に「男性用化粧室」とあるのは、どうもしっくりきません。

かつてアメリカの平和部隊（Peace Corps）の隊員が、派遣先のアフリカのある国を侮辱した文言を絵葉書に書いて送ろうとしたことが問題視され、国外追放になったことがあります。日本の新聞記事では、「この

国では誰でも道路で用を足してしまう」と書いたと報道されていましたが、原文ではEverybody in this country goes to the bathroom in the middle of the road. となっていました。

こちらもどうもちぐはぐな婉曲語の使い方ですね。

太平洋戦争中、旧陸軍が作戦失敗による「退却」のことを「転進」と呼んだように、軍事用語では婉曲語が今でもよく使われます。

2021年9月に米軍がアフガニスタン撤退を完了する直前、空港を狙った爆破テロ犯の車だと誤認し、米軍は無人機（ドローン）による空爆をした結果、子供7人を含む10人の民間人が死亡するという事件がありました。

こうした軍事行動による一般市民の「巻き添え被害」のことを、軍事用語ではcollateral damageと呼びます。形容詞のcollateralには「付随的な」という意味がありますが、collateral damageは「（敵に対する攻撃において）突発的に生じる非戦闘要員の死傷あるいは非戦闘用途の施設の損傷」「誤爆」という意味です。普通の言い方ではcivilian casualtiesなどとなります。

また、friendly fireは「味方［友軍］からの誤爆［誤射］」のことで、敵からの攻撃（hostile fire）に対する軍事用語です。しかし、いくら婉曲語としてもfriendlyのもともとの意味を考えるとどうもおかしな表現のような気がします。

## どんな婉曲語を使っても、「死」は「死」

「三途の川を渡る」「鬼籍に入る」「お隠れになる」

　若い人たちにはあまり馴染みがないかもしれませんが、これらはみな「死ぬ」を意味する婉曲語です。「三途の川」は人が死んで冥途に行く途中に越えるという川のことで、川の中には3つの瀬があり、生前の業によって、善人は橋を、軽い罪人は浅瀬を、悪人は深い所を渡ると言われます。

「鬼籍」は死者の名や死亡年月日などを記しておく帳簿、過去帳のことです。

「お隠れになる」とは、皇族など高貴な人が死亡する、お亡くなりになるということです。「お亡くなりになる」も人が死ぬことをやや婉曲に言う表現です。

　この他にも「永眠する」「他界する」「天に召される」「息を引き取る」などがあります。

　英語でも「死」の婉曲表現としては名詞のpassingや句動詞のpass awayなどがよく使われます。*Roget's International Thesaurus Seventh Edition* のdieの項目には、100近い類語が載っています。

　その中には俗語で「お辞儀をして退場する」というもともとの意味のbow outや、kick the bucket も入っています。「バケツを蹴る」がどうして「死ぬ」ことを意味するようになったかについては、諸説がありますが、そこから派生したdraw up a bucket listは、「死

ぬまでにやっておきたいことのリストを作成する」ということです。

　私は社会人になってすぐに、親の勧めで生命保険に加入したのですが、「生命保険」という名称こそ婉曲表現の最たるものだと思ってきました。実際には、被保険者が死亡した場合に一定の金額が支払われる保険ですが、「死亡」ではなく「生命」という婉曲語を使って不快感をもたせないようにしているのです。

　ところが、最近はすでに数社から「死亡保険」という名称の保険が売り出されています。

　シェイクスピアは、『ロミオとジュリエット』の中でジュリエットに、That which we call a rose by any other name would smell as sweet.（バラは、どんな名前で呼んでもよい香りがする）と言わせています。

　どんな婉曲語を使っても、「死」は「死」なのです。「APスタイルブック」のdeath, dieの項目のところにはDon't use euphemisms like passed on or passed away except in a direct quote.（直接の引用以外では、passed onやpassed awayといった婉曲語を使ってはいけない）とあります。実際に、新聞の死亡記事などには婉曲語があまり使われていません。

　婉曲語は、使われすぎると婉曲的な意味を失ってしまうので、また別の婉曲語ができてしまいます。時には実態と向き合う必要もあるのかもしれません。

# 第4章

## 語法にも文法にも
## 大きな変化が

現代の若者は、ピリオドや大文字は使わない。アポストロフィを省略することも可。whoとwhomやshallとwillの区別も重要ではない。vaxという語が語尾変化のルールに変化をもたらし、伝統的な文法のルールにも柔軟な運用が認められるようになってきた。こうした変化は今後も英語に根付くのでしょうか。

## 語尾変化のルールに変化をもたらしたvax

OEDが選んだ2021年のWord of the Yearはvaxですが、Merriam-Websterが選び約1か月後の11月に発表したのはvaccineでした。vaxは口語の略語で、名詞・動詞両方に使います。名詞としてはvaccinationやvaccine、動詞としてはvaccinateの略です。

つまり両者とも「ワクチン」を意味する語を選んだのですが、OEDがアメリカ発の口語のvaxを選び、Merriam-Websterが普通名詞のvaccineを選んだのは面白いと思いました。多分同じ語を選びたくなかったからなのでしょう。

vaxの過去形、過去分詞形はvaxxedで、unvaxxedは「まだワクチン接種を受けていない」、double-vaxxedは「2度の接種を受けた」という形容詞です。

vaxの派生語としてはanti-vaxxer（ワクチン接種に反対する人）やvaxxie（ワクチン接種の様子の自撮り、つまりselfieのこと）があります。

xで終わる3文字の名詞・動詞としては他に、fax, fix, taxなどがあります。しかしいずれも語尾変化において、最後のxを重ねることはありません。

文法の教科書を開いてみると、1音節の動詞については、「子音で終わっていてその前に母音が1つだけの単語については、最後の子音を重ねる」とあります。例としてbeg, begging, begged; blur, blurring, blurred;

occur, occurring, occurred; rub, rubbing, rubbed; stir, stirring, stirred などが挙げられています。

　詳しい文法の本には、「ただし w, x, y で終わる単語については例外とする」とあり、fix, fixing, fixed; play, playing, played; plow, plowing, plowed といった例が挙げられているでしょう。

　ではどうして、vaxxed や vaxxer のような語が使われるようになってきたのでしょう。

　OED のレポートによれば、これはデジタルコミュニケーションにおける expressive doubling と呼ばれる新しいトレンドである、とのことです。こうした形はこれまでの文法のルールから逸脱した新しい造語法で、まさに現代の英語の新しい常識を象徴するものと言えるでしょう。

　他にも同様な新語の例としては doxx や haxx があります。

　doxx は document の略の doc の複数形（docs）ですが、動詞としての doxx は「（住所、実名、顔写真、電話番号などの）個人情報を、特に復讐目的のために無許可でインターネット上に公開する」という意味で使います。

　haxx は hack の複数の hacks のことで、俗語で「（新聞）記者」とか「三流ジャーナリスト」という意味があります。日本外国特派員協会（Foreign Correspondents' Club of Japan）では、コロナ禍になるまでは毎年年頭

に Hacks & Flacks New Year Party という新年年賀交歓会を開いてきました。flack というのは「広報担当者」「宣伝係」ということで、侮蔑的な意味がありますが、ここではいずれも自虐的に使われています。将来的には Haxx & Flaxx とするのがトレンディになるかもしれません。

fax は facsimile の略ですが、もし現代に発明されていたとしたら、動詞の変化は faxxing, faxxed となっていたかもしれません。

ちなみにオーストラリアで行われた「ワクチン接種賛成」のデモで見かけたプラカードに、

No Jab No Job

No Vax No Tax

がありました。

ワクチン接種のことをアメリカでは shot と呼ぶのが普通ですが、イギリスでは jab を使います。ですからこのプラカードの意味は「ワクチン接種を受けなければ職場に行けない。接種をしていないと税制の特典も受けられない」といった意味です。

ワクチン接種に反対する人のことは anti-vaxxer の他に vaccine denier とも呼びます。ワクチンが安全で効果的であるという科学的なエビデンスにもかかわらず、この人たちの挙げる理由としては体に異物を入れるのは不安だとか、ワクチンの中にチップが埋め込まれていて行動を監視されるとか、副反応についての製薬会

社の説明は信用できないとかがあります。また宗教的な理由で、自分や自分の子供へのワクチン接種を拒否する人たちもいます。

　ただ、denier（否定する人）という語は、Holocaust denier（ナチスによるユダヤ人大虐殺、ホロコーストはなかったと否定する人）とかclimate change denier（気候変動否定論者）にも使われるので、そうした人たちと一緒にされたくない人はvaccine resister（ワクチン接種に抵抗する人）と呼んだりしています。また積極的な反対ではないけれど、ワクチンを打つことへの不安などをvaccine skepticism（ワクチン接種懐疑主義）やvaccine hesitancy（ワクチン接種に対する躊躇）とも呼びます。

　またコロナ禍において、個々の単語だけではなく、ある単語がどのような語と結びついて使われるかという連語（collocation）にも変化がありました。たとえば、かつてはremoteという語はremote control（遠隔操作装置、リモコン）やremote island（離島）といった結びつきで使われるのが一般的だったのですが、パンデミックが始まってからはremote work（遠隔勤務、リモートワーク）やremote learning（遠隔学習）という形で目にすることが多くなりました。

　fatigueの連語としては、これまではmetal fatigue（金属疲労）、eye fatigue（眼精疲労）、occupational fatigue（仕事からくる心身の疲労、過労）などが一般

的に使われるものでした。

　最近、コロナ禍においてよく使われるようになってきたのは pandemic fatigue（パンデミック疲れ）や Zoom fatigue（ズームを使ったオンライン会議疲れ）です。他にもよく目にするのは、combat fatigue あるいは battle fatigue ですが、これは戦場で生じる心身の強度の疲労を意味する精神医学用語の「戦闘疲労症」です。そこからストレスの多い現代の企業社会（concrete jungle）における生存競争について言う時にも使われます。

## 英語の高い許容性

　学校で習う英語では、「正しいか、間違っているか」を問われることが多いのに対し、実社会における英語には「グレー」の部分が多くなっています。この世の中に普遍的真実（universal truth）というものがないように、言語の世界においても「絶対的なルール」というものは存在しません。

　世界中で英語を母語とする人は約3億6000万人いるとされていますが、英語を第2言語とする人はその3倍の約10億人もいます。英語のネイティブスピーカーの間でも異なった用法や発音が使われていますが、「何が正しいか」ではなく、異なった英語があることを認識することが必要です。

たとえば、sayの３人称単数現在のsaysの発音は、中学生の時に［séz］と教わりました。「『セイズ』とは発音『セズ』!」と言った英語の先生の口調がまだ頭の隅に残っています。

　しかし、私のラジオ番組のかつてのイギリス人アシスタントの女性は［séiz］と発音しました。

　初めてその発音を聞いた時に私があまりにも驚いたので、その女性は「では［séz］と言い直しましょうか」と言ったのですが、「いいえ、いつもそう発音しているのでしたら、そのままで結構です」と応えたのを覚えています。バーミンガム（Birmingham）地方ではそう発音するそうです。

　またsayの過去形のsaidも、アメリカを拠点にしているあるBBCのアナウンサーは［séd］ではなく［séid］と発音しています。

　troubleやcountryの母音の発音は［ʌ］の音なのですが、これを日本語の「オ」に近く発音する人もBBCのキャスターの中にはいます。またcutやhundredの母音も同じ音なのですが、人によってはこちらは「ウ」のように発音します。

　イギリス英語の発音の大きな特徴は、アメリカ英語のようにrを響かせないところですが、他にも特徴的なのは二重母音の［óu］の発音です。Oh, I don't know.と言うところで、［o］と［u］をかなりはっきりほぼ独立した音として発音するのがイギリス英語でした。し

かし、今日ではBBCのキャスターの中でそのように発音する人は少なくなっていて、大多数はどちらかというとアメリカ英語のように［o:］に近く発音しています。

　イギリスの王族たちも当然、the Queen's English を話していたのですが、現在ではエリザベス女王（Queen Elizabeth Ⅱ）をはじめ王家の人たちも意図して一般市民の発音に近づけていると言われます。

　BBCがラジオ放送を始めたのは1922年で、当時からBBCの英語と言えばイギリス英語のお手本で、the language of elites, power and royalty とされてきました。

　しかし最近のBBCは違ってきました。いろいろな regional accent をもったキャスターが登場します。

　イギリスの人口はアメリカ合衆国の人口の2割ほどですが、イングランド、北アイルランド、スコットランド、ウェールズに40ほどの方言が存在すると言われています。

　かつて私はスコッチウイスキーや北アイルランドの政府機関のPRを日本で行っていた関係で、スコットランドと北アイルランドは何度も訪れました。でも、初めてスコットランドに行った時には、聞こえてくる英語がまったく理解できずに大きなショックを味わいました。

　いろいろなアクセントのある人が登場するというのは、現在のCNNも同じです。アメリカの南部なまりを

話す人、オーストラリア英語を話す人もニュースを読んだりインタビューをしたりします。

　私たちは英語を勉強し始めてからかなり早期に、the の発音について、通常は［ðə］だが、母音の前だと［ði］と発音すると教わりましたが、あるアメリカ人のアシスタントはいずれの場合も［ðə］と発音します。またその人はwhatやwhereなどwh-とつづられる語をアメリカ式の［hw-］ではなくイギリス式と言われる［w-］と発音しています。

　英語というのは非常に許容性の高い言語だと思います。

---

## 挨拶の言葉にも変化が

---

「ちょっと時間ありますか?」というのを、イギリス人は半世紀ほど前までは、Have you a moment? などと言っていたのを、今ではインフォーマルな状況においては、アメリカ人と同じように D'you have a sec? とか You got a minute? などと言うようになりました。

　初対面の時の挨拶は How do you do? で、相手も同じように How do you do? と言う、とされていたのも昔のことで、今では最初から How's it going? とか Pleased to meet you. と言うようになっています。

　英語を習い始めて最初に教わった日常の挨拶は、How are you? ／ I'm fine, thank you. And you? でした

が、こうした定番の挨拶が、最近では変化してきています。まずHow are you?に対しての最も一般的な返答はFine.ではなく、I'm good.となりました。

インターネット上には、I'm fine.は素っ気ない印象になってしまうとか、ネイティブスピーカーがこう答えることは非常にまれ、と書かれたものもあります。

I'm good.という言い回しは20年ほど前に、アメリカの若者たちの間から広まったそうですが、最初は違和感をもって受け止めたアメリカ人も多かったようです。今では普通の挨拶の言葉になっています。

そして、最も一般的な別れの言葉の1つとされていたHave a nice day.も、最近はあまり使われなくなってしまったというのです。

それに代わるインフォーマルな別れの言葉として一般的なのは、Take care.やEnjoy your day.のようです。そのほかにも Talk to you soon. / See you soon. / I'll be in touch.などがあります。

しかし、こうしたフレーズよりも、もっと大きな議論になっているのは、How are you?です。How are you?は the three most useless words in the world of communicationであるという記事をCNBCのmake itというサイトでは掲載しています。つまり、こう問う人は知りたくて聞いているのではなく、答えるほうも真実を言うわけではない（The person asking doesn't really want to know, and the person responding doesn't tell the truth.）というのです。

　こうした無意味で形式的なやり取りよりもっと意味のある表現を使おう、コロナ禍で、多くの人がいろいろな困難に直面している中、Good.やFine.などと心から言える人は少ないはず、ということです。

## 伝統的な文法のルールにも柔軟な運用が

　one in five Americansに続くbe動詞はisでしょうかareでしょうか。

　文法上の主語はoneですから、isが正解のはずです。しかしAmericans isという並びが不自然に響くので、areも許容しようではないかとする言語学者も多いのです。

　インターネットで最近の見出しをチェックしてみると、こういった場合に単数扱いの動詞で受けるものと複数扱いの動詞で受けるものは、ほぼ半々のようです。たとえば、以下のとおりです。

　1 in 5 Americans are hiding this financial secret from their spouses

　1 In 5 Americans Have Fallen Victim To Medical Errors, Survey Finds

　Nearly 1 in 5 Americans Has Crippling Medical Debt

　1 in 5 Americans is 'religiously liminal,' say

**researchers**

　見出しでは複数扱いの動詞であったのに、本文では単数扱いという例もありました。

　ある語あるいはある表現が広く世に認められて一般化したか否かは、権威ある辞書に収録されたかどうかによって判断されることがしばしばあります。

　literallyという語は「文字どおり」「実際に」（in a literal manner or sense; exactly）という意味で、本来は、誇張なしに事実そのままを指す場合に使われるものです。

　OEDは、それを「本当に、まったく」などと誇張的に用いるのは標準的な英語では認められない（not acceptable in standard English）としてきたのですが、そうした用法が一般化してきたことを認め、2011年にこの語の「誇張的な用法」を記載しました。

　現在の版ではinformalと断りながらUsed for emphasis while not being literally true として、I have received literally thousands of letters. という例文を収録しています。

　OEDの例にならって、CambridgeやMerriam-Websterなどの辞書もあとから同様に定義の修正をしましたが、こうした変更について、インターネット上では「英語の乱れ」と嘆く意見もかなり見られました。しかし、やはり言語は生きているのですから、辞書も変化するのは当然です。

regardless と同じ意味の語に irregardless があります。…に関係なく、…にかかわらずという意味ですが、nonstandard（非標準的な）とされながら、口語としては広く使われてきました。ir- は否定の意味をもつ接頭辞、less も否定の意味をもつ接尾辞なので、これでは without without regard となり、二重否定となり語を成さない、と伝統的な文法を重んじる学者の中には反発する人もいます。しかし Merriam-Webster が2020年にこれを語として認め辞書に収録しました。

　ある用法が一般化したら、定義を修正するのも辞書の役割だとすれば、次に定義の修正があるのは unique という語かもしれないと思っています。
　本来、unique は「唯一無二の」（one of a kind）という意味の absolute term（絶対概念の言語的表現）で、比較級や最上級の more や most などや度合いを表す very, somewhat, quite などの副詞を冠して使うのは「誤用」とされてきました。
　一般的には「大変珍しい」（very unusual）という意味で使うこともありますが、traditional grammarian はこうした用法も認めていません。
　absolutely unique や truly unique といった連語を掲載している辞書もありますが、これらも本来は誤用とされてきたものです。しかしやがては「現実の用法」

として認められることになるのかもしれません。

　現在、ほとんどの辞書は「結婚」を「男女が夫婦となること」と定義していますが、こうした定義も社会的変化に呼応して変化していくのでしょう。

## 非標準的な語が辞書に

　1961年に *Webster's Third New International Dictionary* が発刊された時には、新しく加わった10万以上の見出し語の中に ain't が含まれていたことが、大きな論争を引き起こしました。

　ain't は、are [is, am, have, has, do, does, did] not の短縮形ですが、辞書には《非標準》《俗》《口》などと表示され、教養のある人は使うべきでないとされてきました。子供が ain't と言った場合には、アメリカの親たちは辞書を見せて、"Ain't ain't in the dictionary, so ain't ain't a word."（ain't という語は辞書に載っていないよ。だからそういう語はないんだよ）と言ってきたわけです。

　この辞書の出版に関するいくつかの新聞記事の見出しは、It Ain't True Ain't Ain't in the Dictionary となっていたと言われます。

　現在でもよく使われるのは、Say it ain't so! は「違うと言ってよ。うそでしょ」という意味の口語表現です。わざとぞんざいな言葉を使って、「驚き」や「不

快感」などを表しています。

　If it ain't broke, why fix it?
「壊れていねんだったら、直す必要もねえだろう」という意味。breakの過去分詞も正しくはbrokenですが、強調のためわざとそうした俗な言葉遣いをしているのです。

　不必要な改革、再編成などを戒める時に使われるフレーズですが、もともとは自動車王ヘンリー・フォード（Henry Ford）の言葉で、マーガレット・サッチャー（Margaret Thatcher）首相が不必要な政府の介入に反対して使ったものといった説があります。

　You ain't seen nothin' yet. という一種のキャッチフレーズもあります。nothin'はnothingのくずれた発音の表記、そしてain't, nothin'と二重否定（double negative）になっています。「正しい」英語にすれば、You haven't seen anything yet.ですが、これはロナルド・レーガン（Ronald Reagan）氏が1984年の大統領再選の際に一種のスローガンとして使ってから一般化したフレーズです。
「まだ何も見ていないよ、本格的になるのはこれからですよ」という意味で、わざとちょっとくずれた文体にして注意を引くようにしているものです。よい意味でも悪い意味でも使います。

　味の素冷凍食品の「ザ★チャーハン」のCMに似たような展開があります。俳優の小栗旬さんが、「これが

家で食えたなら」と言うと、それにややかぶせ気味な女性のナレーションが

「食えます!」

と入ります。

「食える」は主に男言葉ですが、女性が言った場合の意外性で、短い中にインパクトがあります。インターネット上では、「あまりきれいな言葉ではない」とか「品がない」といった批判的なコメントもありますが、注意を引き付ける十分な効果があったと思います。

## 「未来」は混乱している

中学校1年生の教科書の3学期最後のところで「未来」の時制が初めて出てきました。私の使った *Globe Readers* という教科書には、次のような文が載っています。

We shall have snow very soon, and shall have a lot of fun.

We shall make a snowman, and we can ski and skate.

The snow will soon melt away.
Birds will come and sing merrily.
Flowers will be out everywhere.
It will soon be spring.

ここで「単純未来」と「意志未来」について、次のように学びました。アメリカ英語では、1人称主語の平述文の場合の単純未来はshallで、2人称と3人称の場合はwillとなる。He shall die.は「話者の意志」を表す意志未来なので、「彼は死ぬ」ではなく「私は彼を殺す」という意味だと教わりました。疑問文、否定文についても、アメリカ英語とイギリス英語では用法が異なるとも。

　「英語というのは、なんと複雑な言語なのだろう！」と思ったのを覚えています。

　ところが実は、英語のネイティブスピーカーでもshallとwillの用法については混乱することがあるようで、OEDはshallの「語法」の説明はThere is considerable confusion about when to use shall and will.（いつshallとwillを使うかについてはかなりの混乱がある）で始まっています。

　実際、口語ではshallもwillも 'llという縮約形（we'll, she'llなど）を使うことが多く、アメリカ英語でもイギリス英語でも、shallとwillは現在ではあまり厳密に区別をしなくなってきています。

　平述文においては、アメリカ英語ではwillが普通で、shallが用いられているのは、お役所言葉で書かれた形式ばった文書か、古くからあることわざなどに限られています。

　「お役所言葉」はofficialeseとかbureaucratese,

gobbledygook などと呼ばれ、公文書や役所の書式に出てくるような、回りくどくてわかりにくい表現のことです。

If you have any questions, please phone.（質問があれば、電話をください）とすれば簡単なところを、If there are any points on which you require explanation or further particulars, we shall be glad to furnish additional details as may be required by telephone.などと書くようなケースです。

また、Man shall not live by bread alone.（人はパンのみにて生きるにあらず）、They that live by the sword shall die by the sword.（剣によって生きる者は剣によって死ぬ）などが聖句やことわざに使われている shall の例です。

現在、アメリカ政府の通達などを一般の人たちがもっと理解しやすい文体にしようという動きがありますが、お役所言葉ではまだ shall が幅を利かせています。

---

### 誰がために whom はあるか

---

whom や whose のような文法上の格の区別はやがて姿を消すと言われています。

whom は who の目的格で、「誰を、誰に」で、whose は who, which の所有格で「誰の」です。

現在では、whom は To whom it may concern（関

係各位）などの常套句以外ではあまり目にしなくなり、特に口語ではwhomの代わりにwhoを使うのが普通になってきています。

　伝統的な文法ではWhom should I call?（誰に電話をしようかな）とwhomを使うのですが、口語ではWho should I call?となります。

　もうすでにwhomはあまり使われなくなってきていると、「ウォール・ストリート・ジャーナル」が2017年6月に掲載したThe Bell Tolls for 'Whom'という記事で紹介しています（日本語版の見出しは「消えゆく『Whom』、文法上の誤りとの戦い」）。

　ちなみにこの見出しは*For Whom the Bell Tolls*（『誰がために鐘は鳴る』）をもじったもので、それはアーネスト・ヘミングウェイ（Ernest Hemingway）の長編小説の題名です。また1943年製作のゲイリー・クーパー（Gary Cooper）とイングリッド・バーグマン（Ingrid Bergman）主演のアメリカ映画のタイトルでもあります。

## 都市名が動詞に

　ある時、上海・虹橋空港で北京行きの飛行機を待っている時に、突然、疑問が浮かんできました。Shanghaiは中国最大の都市の名前ですが、英語の動詞としても使われる珍しい例です。私の疑問は、ほかにも動詞と

して使われる都市名があるだろうか、というものでした。

　shanghaiという動詞は19世紀中ごろから用いられるようになったとされ、「（無法な手段で船に連れ込んで）水夫にする」「（船で働かせるために）誘拐する」といった意味があります。

　1849年ごろのゴールドラッシュでそれまで船で働いていた男たちは船を捨てて金鉱探しに走り、San Franciscoから Shanghai といった長距離航路の船員が不足した時代に、暴力や麻薬などを使って男たちを無理やり上海航路の船に乗せて働かせたところから生まれたそうです。

　The Free Dictionary には、shanghaiは現代の口語で「特に不正手段あるいは暴力によって（…するよう）強制する」（To induce or compel（someone）to do something, especially by fraud or force）という説明があり、We were shanghaied into buying worthless securities.（われわれはだまされて価値のない有価証券を買わされた）という例文も載っています。

　動詞化した都市名についての質問を虹橋空港から何人かの友人にメールで発信したところ、ある友人から早速返事がきました。これもインターネット時代の特徴です。

　Shanghaiほど一般的ではないけれど、South Carolina州のCharlestonも動詞として使うというので

す。「(1920年代に流行した) Charleston というダンスを踊る」という意味だそうで、確かに辞書にもちゃんと載っています。

最近発見したのは、Bangalore も動詞として使われるということです。Bangalore はインドにおける IT 産業の中心都市で the world capital of the outsourcing industry としても知られています。しかし実は、Bangalore は旧称で、現在ではベンガルール (Bengaluru) と呼ばれています。

動詞の Bangalore は、近年では「(仕事が海外、特にインドのバンガロールにアウトソースされたので)従業員を解雇する」(to fire a worker because his or her job is outsourced to an offshore company, especially to one in Bangalore) という意味で使われます。

そのほか、都市名ではありませんが、「日本」の意味から派生した japan は「…に漆を塗る」という意味で使います。

また、english は文語で「英語に採り入れる」「(球)にひねりを加える」、french は「(食べ物を) フランス風に調理する」などの意味で用いられることがあります。

## 「レトロ」な紙製の本と電子書籍

　辞書にはe-で始まる一連の新語が載っていますが、最近は「電子書籍」に関連したe-bookやe-readerもよく目にするようになりました。

　今後e-bookの普及がさらに進めば、ただ単にbookと言った場合に、それは紙に印刷された従来の「本」のことなのか、それともインターネットからダウンロードする「電子書籍」のことなのかがあいまいになります。

　そこで、e-bookに対してp-bookという語が使われるようになってきました。pはprint, printed, paper, physicalなどの略で、「紙製の本」であることが明確になります。

　すでにp-bookは新聞記事などではよく目にするのですが、人によっては口に出して言うのはちょっと躊躇するかもしれません。というのも、pが、「おしっこ（する）」を意味するpeeと同音だからです。

　ちなみに、e-book, e-commerce, e-shoppingなどハイフンを入れた形がまだ一般的で、「APスタイルブック」の2020-2022年版ではハイフンのないのはemailとesportsだけです。でもやがてelectronicで始まる複合語の略語の多くがハイフンなしで表記される時代が来るかもしれません。

　p-bookはretronymです。retronymは、「懐古」「復

古」の意味の接頭辞のretroと、「語」を表すonymの合成語で、「本来の意味と新しい意味を区別するために作られた新語」のことです。

たとえば、以前はカメラといえば当然フィルムを使用するものだったのですが、digital cameraの出現により、それと区別してわざわざfilm cameraと呼ぶ必要が出てきました。

他の例としては、day baseball, snow ski, postal mailboxなどがあります。つまり、野球の試合といえば日中に行われるもの、スキーは雪の上を滑走するもの、郵便箱は手紙やダイレクトメールを受け取るものというのがこれまでの常識でしたが、night baseball（夜間行われる野球の試合、「ナイター」は和製英語）やwater ski、コンピュータ上で電子メールを入れる「メールボックス」と区別するために、もともとの概念を表す言葉が必要になったのです。

「普通の郵便」は、かつてはmailだけでよかったのが、voice mailやemailと区別するためにsnail mail（カタツムリのようにゆっくり配達される郵便）が使われるようになりました。

現在ではもうダイヤル式の電話（rotary phone, dial phone）は見ることがなくなり、ほとんどがプッシュホン（touch-tone phone, push-button phone）です。しかし今でも、Check the number before you dial.（ダイヤルする前に番号を確認してください）などと古い

時代の言い回しが残っています。

　時計もデジタル時計（digital clock）ではないアナログ時計（analog clock）と区別が必要になりました。counterclockwiseは「反時計回りの［に］」という意味で、台風などの季節の天気予報によく登場します。ただ、現代の若者がdigital clockしか知らないとすれば、将来この表現も「古い時代の言い回しの残り」とされるかもしれません。

　meetやdateもこれまでは普通にそれだけで通じたのですが、コロナ禍で多くの人的接触がvirtual, onlineになってしまった時代において、「実際に」「対面の」を意味するin-person（in person）をつけてin-person dateとかmeet in personなどとする必要が出てきました。若者はまた略語のIRLを使ってmeet IRL（in real life）などとも言います。

　買い物についても、生活必需品のほとんどすべてをオンラインで注文し、自宅で受け取るという人も多くなっています。そこで従来のようにスーパーマーケットの中を歩いて買い物をするのではなく、オンラインの買い物についてもgo online shopping or e-shopping, not in-person shoppingなどと区別して言うことが必要になるかもしれません。

## 古い時代のマナーかも

イヌは3本足で、男は立って、女は座ってするものなあに？（What does a dog do on three legs that a man does standing up and a woman does sitting down?）というなぞなぞがあります。

答えはhandshake（握手）。

このジョークをしゃべったところ、ある中年女性から「意味がわからない」と言われました。こうした女性の握手の習慣はもう時代に合わなくなってしまっているのでしょう。

伝統的な西洋式のエチケットによれば、握手をする場合に、座っている男性は立ち上がって握手するのがマナーですが、女性は座ったままでもかまわないとされていました。

また戸外で会った際に手袋をしていたら、男性は手袋を脱いで握手をしなければなりませんが、女性はそのままでもいい、というのがエチケットのルールでした。

さらに、女性がたばこを取り出したら、火をつけてあげるのは男性の役割、などともされていたのです。

現在では人前で堂々とたばこを取り出し、男性に火をつけさせる女性はほとんどいないでしょうし、「女性はこうすべき」「男性の役割は」といったことが一般的に時代遅れとされるようになってきています。

人との挨拶のしかたも、欧米のように握手やハグや頬へのキスの時代から、肘や拳を突き合わせる elbow bump（肘タッチ）や fist bump（グータッチ）、あるいは日本式のお辞儀や、両手を合わせるタイ式のワイなどに流れが変化してきました。パンデミックが完全に消え去ったあとも、こうした習慣も一部は残るかもしれません。

　エチケットの基本は、他人への思いやりです。それには、please と thank you を言い、公共の乗り物の中では高齢者に席を譲り、すぐ後から来る人のためにドアを開けて待ち、「レディー・ファースト」（ladies first）を実践することだと、多くの人が教わってきました。

　しかし、男女平等の世の中において、女性を「弱い者」としてではなく、一人の人間として扱ってほしいと願う人もいます。エレベーターなどでも女性優先にする必要はない、男女とも同じように扱えばいいと考えています。

　欧米では、feminism（男女同権主義）がかなり浸透しているとはいえ、まだ約70％の既婚のアメリカ人女性は夫の姓を名乗っているのです。イギリスでは、その割合は約90％という2016年の調査もあります。

　日本の場合には、2017年の人口動態統計調査によると、95％以上のカップルが夫の氏を選択しています。日本の民法では、結婚する際は男女どちらかの姓を自

由に選択できますが、2人が別々の姓を名乗ることはできません（例外は国際結婚の場合のみ）。選択的夫婦別姓制度の導入が現在議論されています。

そう聞いて、大抵の外国人は驚きます。というのも日本は、夫婦が1つの姓のみを名乗ることを求める、世界でほぼ唯一の国だからです。

英米では、Olivia Newton-Johnのように2つの姓をハイフンでつないだ二重姓（double-barreled surname）を使ったり、Hillary Rodham Clintonのように旧姓（Rodham）をミドルネームのように残したりすることも多くなっています。

夫婦の姓を組み合わせ新しい姓を作る meshed last name もあります。たとえば、ロサンゼルスの前市長は Antonio Villaraigosa という名前ですが、これは父親の姓の Villar と妻（のちに離婚）の姓の Raigosa を組み合わせたものです。また女優の Alexa PenaVega の Pena はパートナーの姓で、Vega は父親の姓です。

インターネットが現代生活の欠かせない一部となった今、エチケット上のいろいろな新しい疑問も生まれてきています。辞表を電子メールやファックスで送るのはマナーにかなっているのだろうか、解雇通知はどうか、といった問題もあります。また、会議中にパソコンを開いたり携帯電話を使うことの是非についても、論議を呼んでいます。

古いエチケットの本には、お礼の手紙（thank-you letter）や正式な招待状への返事はタイプライターではなく手書きにするように、と書いてあります。しかし生活のペースが圧倒的に速くなった現代においては、近しい親族の結婚式への招待に対して出席できない旨返事を出すといった特殊な場合を除くと、パソコンからプリントアウトした手紙もかなり受け入れられるようになってきています。

　現在出版されているエチケットの本に収められたアドバイスが10年後も有効かどうかは、誰にもわかりません。「良識」は時代とともに変化するかもしれないからです。

　1870年代に電話が発明され普及し始めた時、人々は何と言って電話に出ればいいのかわからなかったそうです。黙っている人も多かったと言われています。電話を発明したアレキサンダー・グラハム・ベル（Alexander Graham Bell）はAhoy! と言うことを提唱しましたが、What is wanted? と切り出す人もいたということです。しかし、最終的にはHello. が一般に定着しました。

　また、ソーシャルメディアに関するエチケットも新しい課題です。たとえば、子供が産まれた時、その事実と新生児の写真を親、きょうだいや親族に知らせる前にソーシャルメディアに載せてしまうというのも、現代ではありがちです。その結果、「SNS経由で知るん

じゃ悲しいね。なぜ直接知らせてくれなかったの！」「ごめんなさい！」といったメールのやり取りを見たことがあります。

## コロナ禍の新しいエチケットcovidiquette

　新型コロナウイルスが、仕事や家庭だけでなく、教育から娯楽、公衆衛生、出産、葬儀に至るまで、私たちの社会生活のほとんどすべての面に大きな影響を与えています。covidiquette（コロナ禍での新しいエチケット）や、新しいライフスタイルも生まれてきました。

　マスクは、そうした「ニューノーマル」の1つのシンボルと言えるかもしれません。欧米では、一般の人が外でマスクを着用する習慣はなかったので、当初はかなりの抵抗があったものの、今では「ほかの人たちと接触するような場ではマスクは必須」というのが常識になっています。また飛沫感染を防ぐために、人との距離を約2メートル空けるsocial distancingを呼びかける表示なども、あちこちで見受けられます。

　また1台のエレベーターに乗れる人の数も、1人から数人とかなり制限されるようになってきています。通勤の中で一番危険なのは、狭い空間に複数の人が乗り合わせるエレベーターだという専門家もいますが、全員がマスクをしていればそれほど心配することはないとする人たちもいます。

「エレベーターの中では話をしない」というのも、新しいエチケットです。かつては、誰が乗っているかわからないので、企業秘密などが漏れないようにという意図で言われることもありましたが、今では感染防止が主たる目的となっています。

NHK放送センター内のエレベーターにある表示は、「飛沫を飛ばさないために、エレベーターでの会話はやめましょう」です。数年前までは「打ち合わせは降りてから」とあり、その下には英語で Talk shop elsewhere! と書かれていました。

短く3語で注意を促しています。本来、talk shop というのは、ふさわしくない場所で仕事の話をする、ということです。主に、パーティなど職場以外の楽しい雰囲気の中で退屈な専門分野の話をして周りを白けさせるといったニュアンスがあります。

アメリカでは在宅勤務をする人が、コロナ禍の前から増える傾向にありましたが、今後も週に何日かリモートワークを続けたい、と考えている人たちも多くいます。

一方で、オフィス勤務の前提条件として新型コロナウイルスのワクチン接種を求める企業もあります。それを vaccine mandate（ワクチン接種命令）と呼びます。

アメリカには、ワクチン接種に強く反対する anti-vaxxer と呼ばれる人たちがかなりいます。また、医学的・宗教的な見地からワクチン接種を嫌う人たちもい

るのです。その人たちにどう対処すればいいのか、という新しい問題も生じます。

　在宅勤務の人たちが増えれば、日々の生活にもさらに変化が出てくると考えられます。インターネットやコンピュータ関連の支出が増え、衣料品は売れなくなるかもしれません。

　自宅やオフィス、ショッピングなどでも着られるファッショナブルな普段着、室内着（lounge wear）が人気ですが、これからはさらにパジャマのようなカジュアルな衣服（sleepwear, pajama suits）が街にあふれるようになるかもしれません。

## ラップトップのエチケット

　PCが普及し始めた1980年代後半に、アメリカの大学で教室にラップトップを持ち込んでノートをとる学生の姿を見た時には、「かっこいい！」と思ったものですが、今では教室でPCを使う学生はほとんどいません。というのも、多くの大学が教室でのPCの使用を禁じているからです。

　出席者のほぼ全員がPCをたたいているのを見る唯一の場所は記者会見場ぐらいです。記者たちは会見直後や会見の最中にでも、記事を送らなければならないかもしれませんから、それは理解できます。さらに、その場で、関連情報をダウンロードしたり、事実確認

したりもできます。

　しかし一般的に、授業中はラップトップやタブレットを開けることが禁じられています。ラップトップやスマートフォンは授業に退屈した学生の気晴らしのツールでもあったのですが、ノートもとらずにネットサーフィンをしたり、メールのチェックをしたりする行為が、授業中の飲食やおしゃべりと同じように望ましくない行為とされるようなったからです。

　ただ、授業中に学生がラップトップを使って遊ぶことよりも、教授の言うことを一言一句そのままラップトップに入力するだけで、自分の頭で考えない学生が増えてしまうことのほうがより大きな問題だ、と考える教育関係者もいます。つまり、PCが「思考の代用品」（substitute for thinking）になってしまっているのでは、という懸念です。

　PCは有効な教育ツールであると同時に、思考能力を奪ったり集中を妨げたりする器具でもあります。学校でも企業でも、それをどのように各自が使いこなしていくかは現代の課題の1つです。

　「ラップトップやスマートフォンなどのデジタル機器の使用が禁止される会議」のことはtopless meetingと呼ばれます。これは英国オックスフォード大学の出版部門であるOxford University Pressが2008年のWord of the Yearに選んだものです。会議などを（lap）toplessにすることにより参加者の集中力が増すだけでな

く、会議が短くなるメリットがある、とも言われています。

ただ、「会議室や教室などでラップトップを使うのは絶対的なマナー違反」と一律に決められているわけではないので、よその会社に行って会議に参加する場合には、確認する必要があります。

一方、スマホの使用については、もう少しコンセンサスが得られているように思えます。今では、会議中や授業中だけでなく、食事中にスマホをテーブルの上に置くのはマナー違反です。

スマホは、会議が始まる前にスイッチを切っておくか、会議室に持ち込まないのがエチケットとされています。もし緊急な電話を待っている場合には、silent modeにしておき、着信時に速やかに部屋から出て電話を受けるべきです。

会議中に電話が鳴った場合は、発信者を確認することなく、スイッチを切りましょう。発信者を確認するという行為は、目の前にいる人（たち）と発信者を天秤にかけ、どちらが重要かを考えているようで、周囲を不快な気分にさせることもありますから、気をつけなければなりません。

## 簡略化したつづり字と現代の若者言葉

中学生時代、私はシカゴ在住の同年代のペンパルと

文通をしていました（今でも彼女と彼女の家族とは連絡を取り合っています）。彼女は時々、地元の新聞に載った日本関連の記事を切り抜いて、手紙に同封してくれたものです。アメリカのメディアが日本のことをどう報じているのかを知るのは、とても興味深いことでした。

とは言っても、英語を習い始めたばかりのころですから、一生懸命辞書を引きながら苦労して読んだのを覚えています。しかし、辞書には載っていない語やミスプリではないかと思われる語も、かなりあることに気づきました。

ずっとあとから知ったのですが、当時、シカゴの地元紙の「シカゴ・トリビューン」（*The Chicago Tribune*）は「簡略化したつづり字」（simplified spelling）運動を紙面を通じて推進していたのです。新聞発行人のロバート・マッコーミック（Robert McCormick）さん自身もこの運動の熱心な支持者で、自分の名前のつづりも M'Cormik と変更したほどです。

この新聞は1934年1月から1975年9月まで、そうしたつづり字を採用していました。最初に発表されたリストには、burocrat (bureaucrat), sofomore (sophomore), thru (through), tho (though), altho (although), thoro (thorough) など24語が載っていました（カッコの中は通常のつづり）。

その後、このリストは拡大したり縮小したりしまし

たが、一時 はagast（aghast）, aile（aisle）, bazar（bazaar）, crum（crumb）, frate（freight）, iland（island）, missil（missile）, rime（rhyme）, warant（warrant）, yern（yearn）などが含まれていました。

1955年にMcCormickさんが亡くなったあと、同紙はほとんどの語を辞書にあるつづりに戻しました。そして1975年、ほかのメディアも一般の人たちも簡略スペリングに興味を示さないことが明白になると、同紙はこの運動の終了宣言を出しました。

それから半世紀たって、若者たちが新しい簡略スペルを使うようになっています。主にソーシャルメディア上ですが、Tシャツなどにも書かれますし、ビジネスメールにも使ってしまう、といったこともあるようです。

若者が使うメール用語（textese, text speak, txt spk）の特徴としては、独特の頭字語（acronym）やスラング、それに絵文字の使用や、txt spkのように母音をスキップしたり大文字を使わずに小文字だけを使った文章作成などが挙げられます。

頭字語の例としてはTBHがあります。これは若者たちがソーシャルメディアやテキストメッセージなどでよく使うto be honestのことです。「正直に言えば」ということですが、あまり使わないほうがいいともされています。「だとしたら、それ以外のことはうそなのか」と思われてしまうかもしれないからです。

現代の若者言葉は、数字が入ったり音訳的になっていて、たとえば、todayは2day、foreverは4ever、beforeはB4、wonderは1der、greatはgr8などと表示します。It's 21 8.はIt's too late.のこと、c u 2mrwはSee you tomorrow.です。W8N4FRIと書いてWaitin' for Friday.などと読ませます。

　他にも10q (thank you), cr8 (create), 1ce (once), 4get (forget), r (are), u (you), ur (your), 2G2BT (too good to be true) などを目にします。

　でもかつてアメリカ人の上司に言われたのは、「pleaseやthanksをpls, thxなどと略さないこと。それでは丁寧さや感謝の気持ちが伝わらない」ということでした。


　代表的な若者言葉には次のようなものがあります。（[ ] の中が本来のつづりです。）

　cuz ['cause=because]
　da [the]
　deres [there's]
　dis [this]
　instruxn [instruction]
　its [it's]
　iz [is]
　n2 [into]

ntl〔national〕

pnktu8n〔punctuation〕

prjct〔project〕

prolly〔probably〕

pprs〔papers〕

sposd〔supposed〕

stndrd〔standard〕

tchaz〔teachers〕

tho〔though〕

transl8〔translate〕

txting〔texting〕

txt-msg〔text-messaging〕

2〔to, too〕

uz〔use〕

wuz〔was〕

xecutiv〔executive〕

xtreme〔extreme〕

　IN3K8 Media という表記の企業名も登録されています。発音はintricate と同じです。これからもこうした社名も増えるかもしれません。

　多くのフォロワーを獲得しているブログなどは、文法やつづり字の規則をあまり厳しく守らず、柔軟性のある文体で主に若者にアピールしています。

　一般的に現代の若者たちは、大文字を使わない傾向

にあります。「将来、大文字は使われなくなるだろう」
と予言している言語学者もいるくらいです。特に1人
称単数主格のIをiと小文字で表記するのに、違和感を
もつ人もいるかもしれません。ただ、世界の言語のう
ち自分のことをIと大文字で表すのは英語くらいです。
そのことを「不遜」と感じる人もいますし、大文字に
するためにはキーを1つ余計に押さなければならない
ので、それが面倒だということもあるとも言われます。

　1974年2月、スティーブ・ジョブズ（Steve Jobs）
が19歳の誕生日の前日に書いた手紙が2021年11月に
オークションに出され30万ドル（約3400万円）で落札
された模様です。

　手書きの1ページの手紙ですが、

i do not know what to say

many mornings have come and gone

people have come and went

i have loved and i have cried many times.

somehow, though, beneath it all it doesnt change ―

do you understand?

などとあり、すべて小文字で、ピリオドは一度使わ
れていますが、doesn'tはアポストロフィなしです。自
分の名前もsteve jobsと小文字でサインしています。

　私も大学生のころは、英文の短い手紙などをすべて
小文字で書いたものです。当時では比較的珍しく、
「どうしてこういう書き方をするの」と問われたことも

あります。そうしたスタイルは、アメリカの詩人のカミングズ（Edward Estlin Cummings, 1894-1962）の文体がかっこいいと思い、それを真似しただけでしたが、カミングズ（e.e. cummingsあるいはe e cummingsとも表記する）は、小文字だけを使った自由詩（free-form poem）を数多く書いたことで知られています。

このスタイルが現代では、多くの若者の「標準的」文体になってしまっているようです。

---

### ピリオドは使わない。アポストロフィは…

---

最も簡単な句読点はperiod（．[終止符]）ですが、最近はtext messagingやonline chatにおいて、文の区切りはperiodではなく改行することで表すようになっています。アメリカの若者たちのonline communicationでは、小文字だけを使って句読点やperiodなしの文を書くことが主流にさえなってきています。

ピリオドを使った文はexcessively assertive or even harsh（過度に独断的だったり、とげとげしい響きがあったりさえする）というのです。I don't want to go.と書くと、I have no more to say.あるいはThis is the end of the conversation.という強い意思があるように受け取られます。

目上の人や上司などとのコミュニケーションにおいては、ピリオドを使うのですが、友達どうしのカジュ

アルなやり取りにおいて、かしこまった文法や文体は相手を不快にさせる、というのです。

所有格や省略などを表すアポストロフィ（apostrophe）もやがて姿を消す運命にあるかもしれません。「婦人服」は本来ladies' wearなのですが、アポストロフィを省略してladieswearと1語でつづります。同様にmen's wearはmenswear、women's wearはwomenswearと書くのが普通になってきていて、辞書にもそのような項目が収録されています。

イギリスのスーパーマーケットチェーンのTescoは広告の中でmens magazines, girls toys, kids books, womens shoesなどとアポストロフィを省いて記載しています。交通標識や地名、企業名などでも省かれることがあり、Kings Road, Barons Court, Taylors Fallなどがありますし、有名なデパートのHarrodsやSelfridgesももともとはHarrod'sやSelfridge'sとしてあったのだそうです。

英米では団体名やクラブ名などでInternational Aviation Womens AssociationのようにWomensのアポストロフィを省いたものを見受けます。またfarmers' marketは複数の農家が産地直売の農産物などを持ち寄る「直売市場」のことですが、farmers marketという表示のところもかなりあります。

バイデン大統領によっては10月の第2月曜日はIndigenous People's Dayとされたのですが、このこと

を伝えたアメリカの新聞でPeoplesと書いたところもありました。

　アメリカでは2月の第3月曜日はPresidents' Dayとされていて、もともと2月生まれの2人の大統領の誕生日を祝う日でもあります。ジョージ・ワシントン（George Washington）は22日、エイブラハム・リンカーン（Abraham Lincoln）は12日が誕生日なので、その2つを統合した祝日となっています。Presidents'とするのが文法にはかなっているとされるのですが、「APスタイルブック」は「アポストロフィ不要」としています。

　一方で若者たちがよく使うようになっているのは、驚きや強調を表すためのexclamation mark（！［感嘆符］）や、思考の飛躍や意味に含みをもたせるためのellipsis points（...［省略記号］）です。

　exclamation markは日本では「ビックリマーク」とか「オッタマゲーションマーク」などと呼ばれますが、アメリカの俗語ではbangと言い、periodやquestion mark（?）, ampersand（&）とともに通常キーボードに入っています。ちなみに「！」はラテン語で「喜び」を表す間投詞ioの2字を縦に重ねた合字であるとされますし、「?」はラテン語のquaestioの最初のqと最後oを重ねたものと言われます。また「&」はラテン語のet（=and）のEとtを合成したものです。

　また、1960年代にMadison Avenueのある広告マン

が提唱したinterrobangと呼ばれる記号の「‽」は、最近その存在を再び主張し始めてきています。これは、疑問と感動・驚きを同時に表す時などに使われる「?!」あるいは「!?」を1つの記号にしたものです。たとえばYou call this journalism‽のように。

　若者たちは、インフォーマルなメールをXOとかXOXOなどと結ぶこともあります。Hugs and Kissesという意味です。これは略語ではなく、一種の象形文字あるいは絵文字のようなものですが、Xがキス、Oがハグの形を表します。Hugs and KissesだとまさにOXとなるのですが、oxは「雄牛」のことであまりスマートな表現法ではないので、XOと並びを逆にしたのだと思われます。

　若者言葉は他にも数多くあり、短命のものもたくさんあります。しかし最近よく使われるものとしてはGOATがあります。これは主にアスリートやミュージシャンなどの著名人について使われますが、ある分野におけるgreatest of all time（史上最高の）という頭字語です。

　発音はアルファベットどおり、あるいは「ヤギ」と同じく［góut］と発音し、ソーシャルメディアなどではヤギの絵文字（🐐）も使われます。

　インターネット上にはShohei Ohtani is the GOAT!といったmeme（インターネット上で拡散する画像や動画など）があふれています。他にも大谷翔平の背番

号を使って、#17＝GOATとか、Japan's baseball "Frankenstein"やthe two-way Japanese marvel with once-in-a-century talentなどと書かれたものもあります。

## 暗い時代にもユーモア

　ユーモアは「会話の潤滑油（lubricant）」とも言われ、欧米では高く評価されます。「あの人は素晴らしいユーモアのセンスをもっている」というのは最高のほめ言葉です。

　アメリカ人について、いつも感心するのは暗い時代においても、ユーモアのセンスを決して失わないことです。つらい時期でも、否定的なことをくよくよと考えているだけでは、それを切り抜けることはできません。ちょっとした笑いを日々の生活に加えることができれば、この状況にもっと明るい面を見出すことができるかもしれません。

　そこで最近は、pandemicとだじゃれを意味するpunを組み合わせたpundemicがソーシャルメディアにあふれています。

　たとえば、こんなものがあります。

　Feed a cold, starve a fever, drink a corona.
「風邪の時にはよく食べよ（feed a cold）、熱が出たら絶食を（starve a fever）」まではよく一般的に言わ

れることです。しかし、その次の drink a corona は「コロナになったら水分を摂れ」ということではなく、「コロナビール（Corona beer）を飲もう」というしゃれです。

The buttons on my shirts have started social distancing from each other.

自粛生活のストレスから「コロナ太り」をしたという話もよく聞きますが、「シャツのボタンがソーシャルディスタンシングを始めてしまった」、つまりボタンの間隔が広がるほどお腹が膨らんでしまった、ということです。

I never thought the comment "I wouldn't touch them with a 6-foot pole" would become a national policy!

I wouldn't touch them with a 6-foot pole. とは直訳すれば「（その人物には）６フィートの長さの棒を用いても触りたくない」ということですが、アメリカの口語のイディオムでは、「絶対に関わり合いになりたくない」「近くにも寄りたくない」ということです。「それが国家の方針になるとは！」となっています。

採用を考えている人物について意見を求められた際にこうコメントしたら、「私なら絶対に採用しない」という意味になります。「人と人との間に安全とされる６フィートの距離を保とう」という目安についてのジョークです。

# おわりに

　未来学者のアルビン・トフラー（Alvin Toffler）氏（1928-2016年）は、「学び、学んだことを忘れ、再び学ぶ」（learn, unlearn and relearn）ことの重要性を、著書『未来の衝撃』（*Future Shock*）の中で強調しました。
「学んだことを忘れる」というのは、知識をどんどん得てもそれにしがみつくのではなく、その知識を捨ててみる、そしてまた新しい知識に挑戦するという意味です。ヘビが脱皮したり、塗装をし直す前に、古い塗装をはがしたりする作業のようなものです。
　長い年月をかけて学んできた英語においても、学んだことを忘れ、新しいことを学ぶ時が来ています。今や新しい常識が生まれ、古いルールやタブーが捨てられています。
　中学校の英語の授業で習ったshall と will の区別や、says や said の「正しい」発音や、母音の前のthe の読み方についても、古いしがらみを捨てることを学びました。
　言葉の意味が、時代とともに変化することはしばしばあります。でも1974年を境に、それまで2通りに理解されてきたある単語の定義が一本化されたことはとても印象的でした。

その単語とはbillionです。「10億」を意味することは誰でもご存じだと思います。しかしそれはもともとアメリカ英語の用法で、それまでイギリス英語では1兆（one trillion）の意味で使われていました。

私がかつて記者として働いていた「朝日イブニングニュース」では、読者に混乱を与えるので、この語を使ってはいけないことになっていたのです。10億のことはone billionではなくone thousand million、1兆はone trillionではなくone million millionと表記していました。

しかし1974年に、当時のハロルド・ウィルソン（Harold Wilson）首相が、イギリス政府としてbillionをアメリカ英語の「10億」という意味で使うことを公式に確認し、それ以後、イギリスでも10億の意で用いられています。

歴史あるイギリス英語がアメリカ英語に敗北を喫した歴史的な瞬間、とも言われました。

英和辞典には《英》といった表示がある語でも、現代ではアメリカやカナダ、オーストラリアなどでも広く使われている例があります。多国籍の人たちが働く国際的な職場においては、それぞれの語用法が影響し合いますから、そうした辞書の表示があまり意味をもたなくなることもあるのです。

1つの例がcircular fileです。「くずかご」の意で、『ジーニアス英和辞典　第5版』には「《英》wastepaper basketのおどけた言い方」とあります。しかし『新英和大辞典　第6版』には《米》、小学館『ランダムハウス英和大辞典　第2版』には《米俗》とあります。私はアメリカのオフィスでよく耳にしました。どこから始まったかはわかりませんが、英米ともに使われる俗語なのでしょう。

「英語と米語は、フランス語とイタリア語、オランダ語とアフリカーンス語のように、同じ起源をもつがお互いに通じない言語となってしまうだろう」という予測もかつてはありました。

しかし今では、英語と米語はお互いにある程度節度を保ちながら同化が進み、いずれは多くの地域で通じる世界語としての存在に近くなるのではないか、と考える人たちも少なからずいます。

その最大の要因はインターネットです。数十年前、イギリス人はよくblimeyという語を使いました。これはイギリスの俗語で、「しまった」「畜生」「ひゃー」といった軽い驚きや興奮を表す言葉です。しかし現在では多くの人がアメリカから入ってきたwoahという語を使うようになっているのです。

woahは馬をとめる時の「どうどう」というかけ声のwhoaの別つづり（alternate spelling）です。この語はアメリカ英語では［wóu］と発音することが多いので、その発音に合ったつづりになっています。

口語で相手の発言を遮る時などにStop! の意味で最

初は使われていたものですが、今ではソーシャルメディアへの投稿やテキストメッセージでは驚きを表す語になっています。

　もともとのwhoaというつづりを用いるのは年配者だけで、若者は従来の辞書にはなかったwoahというつづりのほうを好む、という趣旨の記事が「ウォール・ストリート・ジャーナル」に載っていました（Tales of 'Woah' Have Oldsters Saying 'Whoa,' 2019年9月13日）。同紙がインタビューした30人の若者のうち29人がこのつづりを選ぶと答えたそうです。

　OEDは2016年からこのつづりも併記するようになりましたが、Merriam-Websterはまだ少し慎重なようです。

　英米におけるwoahという語の急速な広がりと、意味とつづり字の変化は、現代の英語に起こっている大きな潮流のほんの一部です。しかし、もしこうした流れが続けば、英語の書き言葉は実際の発音を反映する形になってしまうのではないかと危惧する人たちもいます。インターネット上では若者たちによる「言語のルール違反」や「英語の乱れ」を嘆く意見もかなり見受けられます。

　他方において、若者たちがルールを破っているのではなく、ルール自体が変化しつつあるのだと考える人たちもいます。社会の変化と同じように、言語の世界でも常に変化は起こっています。現代ではそのスピー

ドが以前よりもかなり早くなっているのです。

　英語はこれからも変化し続けていくでしょう。10年後、20年後、30年後に英語はどのようになっているのか、興味は尽きないところです。

図版制作　タナカデザイン

杉田 敏 すぎた さとし

元NHKラジオ「実践ビジネス英語」講師、昭和女子大学客員教授。1944年、東京神田生まれ。1966年青山学院大学経済学部卒業後、「朝日イブニングニュース」の記者となる。1971年にオハイオ州立大学に留学、翌年修士号（ジャーナリズム）を取得。「シンシナティ・ポスト」経済記者から、1973年国際的PR会社バーソン・マーステラのニューヨーク本社に入社。日本ゼネラル・エレクトリック取締役副社長、バーソン・マーステラ（ジャパン）社長、プラップジャパン代表取締役社長などを歴任した。2021年3月まで通算32年半、NHKラジオでビジネス英語の講師を務める。2020年度NHK放送文化賞受賞。著書に『成長したければ、自分より頭のいい人とつきあいなさい』（講談社）、『アメリカ人の「ココロ」を理解するための 教養としての英語』（NHK出版）など多数。

英語の新常識 えいご しんじょうしき

2022年2月12日　第1刷発行　　　　インターナショナル新書093

著　者　杉田 敏 すぎた さとし

発行者　岩瀬 朗

発行所　株式会社 集英社インターナショナル
　　　　〒101-0064 東京都千代田区神田猿楽町1-5-18
　　　　電話 03-5211-2630

発売所　株式会社 集英社
　　　　〒101-8050 東京都千代田区一ツ橋2-5-10
　　　　電話 03-3230-6080（読者係）
　　　　　　　03-3230-6393（販売部）書店専用

装　幀　アルビレオ

印刷所　大日本印刷株式会社

製本所　加藤製本株式会社

©2022 Sugita Satoshi　　Printed in Japan
ISBN978-4-7976-8093-5 C0282